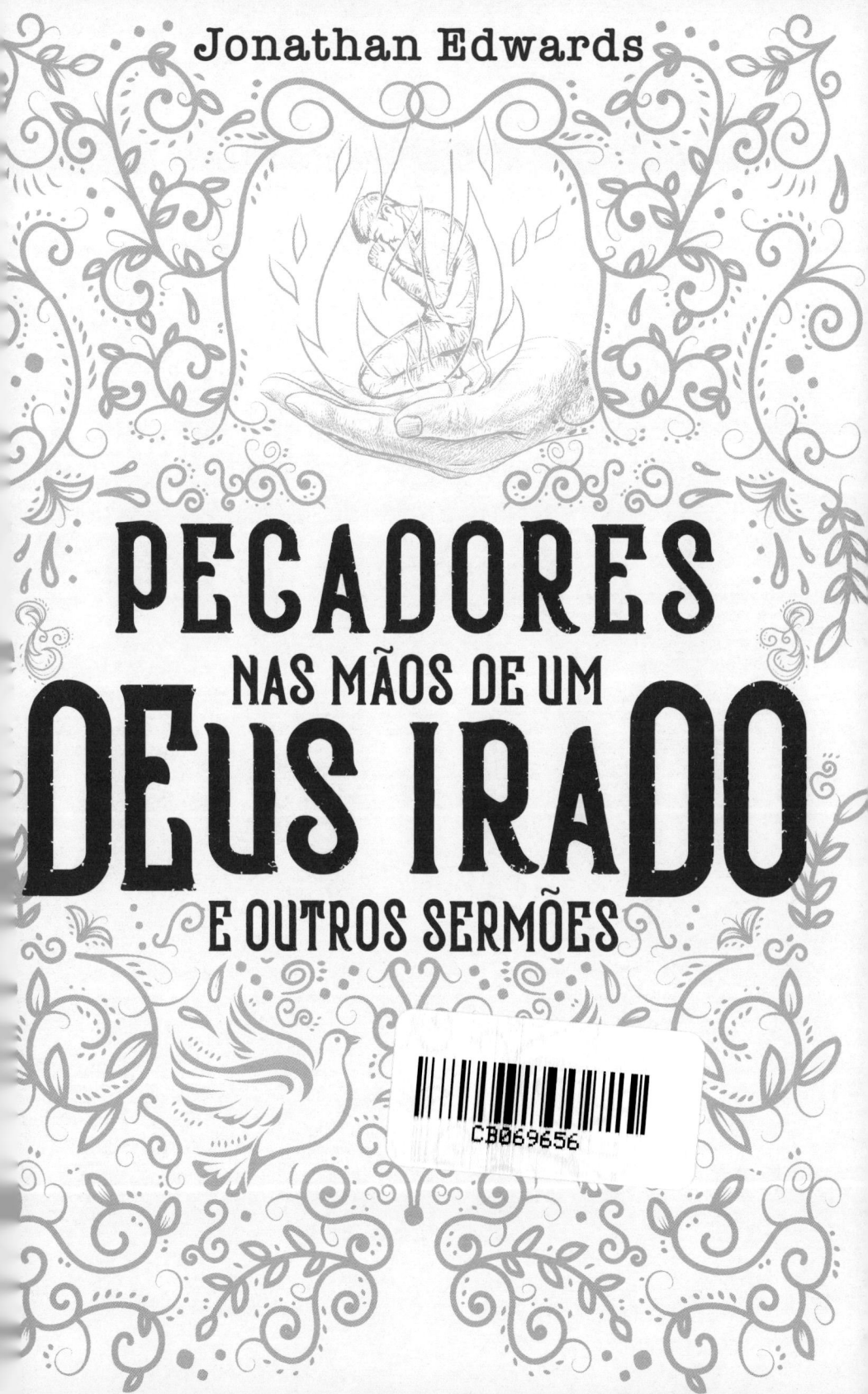

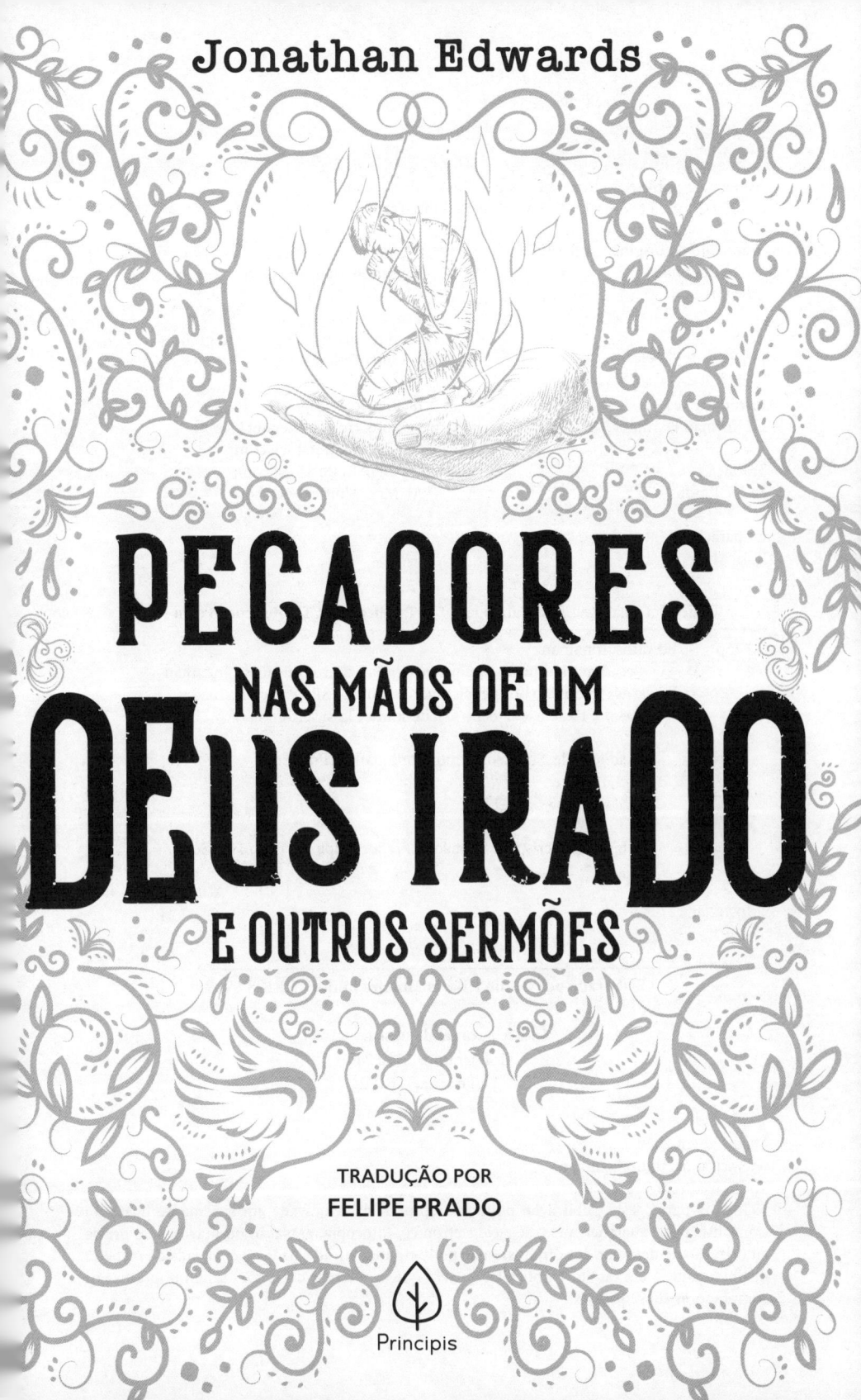

PECADORES
NAS MÃOS DE UM
DEUS IRADO
E OUTROS SERMÕES

TRADUÇÃO POR
FELIPE PRADO

Principis

Esta é uma publicação Principis, selo exclusivo da Ciranda Cultural
© 2020 Ciranda Cultural Editora e Distribuidora Ltda.

Traduzido do original em inglês
Selected sermons of Jonathan Edwards

Texto
Jonathan Edwards

Introdução e notas
H. Norman Gardiner

Tradução
Felipe Prado

Preparação
Rosa M. Ferreira

Revisão
Fernando Mauro S. Pires
Cleusa S. Quadros

Produção editorial e projeto gráfico
Ciranda Cultural

Ilustração de capa
Vectorcarrot/Shutterstock.com;
Naddya/Shutterstock.com;
kapona/Shutterstock.com;
ArtMari/Shutterstock.com

Dados Internacionais de Catalogação na Publicação (CIP) de acordo com ISBD

E26p   Edwards, Jonathan
           Pecadores nas mãos de um Deus irado e outros sermões / Jonathan Edwards ; traduzido por Felipe Prado. - Jandira, SP : Principis, 2020.
           208 p. ; 15,5cm x 22,6cm. – (Literatura Clássica Mundial)

           Tradução de: Selected Sermons of Jonathan Edwards
           Inclui índice.
           ISBN: 978-65-5552-170-2

           1. Literatura cristã. 2. Sermão. I. Prado, Felipe. II. Título. III. Série.

2020-2409   CDD 240
                                                                                    CDU 24

Elaborado por Odilio Hilario Moreira Junior - CRB-8/9949

Índice para catálogo sistemático:
1. Literatura cristã 240
2. Literatura cristã 24

1ª edição em 2020
www.cirandacultural.com.br
Todos os direitos reservados.
Nenhuma parte desta publicação pode ser reproduzida, arquivada em sistema de busca ou transmitida por qualquer meio, seja ele eletrônico, fotocópia, gravação ou outros, sem prévia autorização do detentor dos direitos, e não pode circular encadernada ou encapada de maneira distinta daquela em que foi publicada, ou sem que as mesmas condições sejam impostas aos compradores subsequentes.

SUMÁRIO

Introdução 7

Sermões selecionados de Jonathan Edwards 29

Deus glorificado na dependência humana (1731) 30

Uma luz divina e sobrenatural, imediatamente impartada na alma pelo Espírito de Deus, mostrado ser ambas uma doutrina racional da escritura (1733) 49

A resolução de Rute (1735) 73

As muitas moradas (1737) 92

Pecadores nas mãos de um deus irado (1741) 106

Um galho forte quebrado e seco (1748) 126

Sermão de despedida (1750) 147

Notas 182

INTRODUÇÃO

Jonathan Edwards nasceu em 5 de outubro de 1703, em Connecticut, na cidade hoje conhecida como South Windsor, uma parte da paróquia Windsor Farmes. Seu pai, o reverendo Timothy Edwards, ministro da paróquia, formado em Harvard, era considerado um homem de habilidade superior e de boas maneiras, um amante do aprendizado e da religião. Além de seus deveres pastorais, preparava jovens para a faculdade, e com sua visão liberal sobre educação, fez suas filhas seguirem o mesmo estudo que esses jovens. Dizem que sua mãe, filha do reverendo Solomon Stoddard, ministro de Northampton, herdou o caráter do pai. Ela tinha uma mente brilhante e por isso se destacava mais que seu marido em raciocínio. No que diz respeito à ascendência mais remota e às suas qualidades intelectuais e morais, Edwards tinha boas referências, exceto por sua avó paterna, que era um pouco excêntrica, e, possivelmente, a conduta ultrajante levou-a ao divórcio[1].

Criado como o único filho em uma família de dez filhas, além de todas as influências perturbadoras, em uma atmosfera de religião e de estudos sérios no lar, em meio a um ambiente natural de prados,

---

1 Veja J. A. Stoughton, *Windsor Farmes*, p. 39 e p. 69 n. Os estudiosos da hereditariedade talvez aqui encontrem uma influência sobre o caráter do brilhante e rebelde neto de Edwards, Aaron Burr. (N.O.)

bosques e colinas distantes e baixas, que propiciam uma vida de contemplação, este cenário despertou logo cedo o interesse do menino pela absorção das coisas espirituais e a perspicácia intelectual, que são as características mais marcantes de sua personalidade. Quando criança, passou grande parte de seu tempo em atividades religiosas e conversando com outros meninos sobre esse assunto. Ele se uniu a alguns deles para construir um local secreto para orações em um ponto afastado, no pântano. Edwards tinha muitos outros lugares semelhantes no meio da floresta para orar, para onde costumava se retirar. Sua mente também se concentrava intensamente nas doutrinas que lhe eram ensinamentos, especialmente nas relacionadas à soberania de Deus na eleição, tema que o fazia se rebelar violentamente naquela época. Quando tinha apenas 10 anos, escreveu um pequeno tratado, singular e bem-humorado sobre a imortalidade da alma. Por volta dos 12 anos, redigiu um artigo notavelmente preciso e engenhoso sobre os hábitos da aranha voadora.

Ingressou na Collegiate School of Connecticut, em Saybrook College, mais tarde Yale College, aos 13 anos e, em 1720, pouco antes de seu décimo sétimo aniversário, formou-se em New Haven como o orador oficial. Em seu segundo ano, conheceu o *Ensaio acerca do Entendimento Humano*, de Locke, um trabalho que deixou uma impressão permanente em seu pensamento. Leu tal obra, diz ele, com um prazer muito maior "do que o avarento mais ganancioso encontra ao reunir punhados de prata e ouro de algum tesouro recém-descoberto". Sob a influência de Locke, iniciou uma série de *Notas sobre a Mente*, um tratado abrangente sobre filosofia mental. Também começou, possivelmente um pouco mais tarde, uma série de *Notas sobre Ciências Naturais*, com referência a um trabalho semelhante sobre filosofia natural. É nesses primeiros escritos que encontramos os esboços de uma teoria idealista que se assemelha à de Berkeley, mas provavelmente nem sequer se originou nela, e que parece ter permanecido um fator determinante em suas especulações até o final[2].

---

2   Veja H. N. Gardiner, *The Early Idealism of Edwards*, em Jonathan Edwards: a Retrospect, p. 115-160: Boston, 1901. Cf. J. H. MacCracken, *The Sources of Jonathan Edwards's Idealism*, Philos. Rev., xi. 26 ss. (Janeiro de 1902). (N.O.)

Depois de se formar, continuou em New Haven, por mais dois anos estudando para o ministério. De agosto de 1722 a abril do ano seguinte, ocupou o púlpito de uma pequena congregação presbiteriana em Nova Iorque, mas recusou o convite para permanecer como ministro. Depois de retornar à casa de seu pai em Windsor recebeu pelo menos dois outros chamados, um dos quais parece ter aceitado[3]. Em setembro de 1723, regressou para New Haven para pegar seu diploma de mestrado, foi nomeado tutor na faculdade, iniciando as atividades efetivas desse cargo em junho de 1724 e ficou na mesma função até setembro de 1726, quando renunciou à sua tutoria para se tornar pastor assistente de seu avô Stoddard na igreja de Northampton.

A história espiritual de Edwards nesses anos de crescimento, da juventude à idade adulta, é registrada de próprio punho em uma narrativa de experiências pessoais escritas posteriormente para seu próprio uso, em fragmentos de um diário e em uma série de resoluções que esboçou para a conduta de sua própria vida. Esses documentos, publicados pela primeira vez por seu biógrafo e descendente, Sereno E. Dwight, em 1829, lançam uma luz sobre o caráter e o temperamento de Edwards e servem para esclarecer muitas coisas em sua vida que, de outra forma, seriam obscuras. Ele nos conta em sua narrativa como o prazer infantil nos exercícios de religião antes referidos diminuiu gradualmente; por quanto tempo "ele se voltou como um cachorro para o vômito e seguiu os caminhos do pecado"; então como, depois de muito conflito interno experimentou no final de seu curso universitário uma genuína conversão, decretando uma nova vida e, com o tempo, um profundo e agradável senso da soberania de Deus, da excelência de Cristo e da beleza da santidade. Existe possivelmente algum exagero por parte de Edwards na descrição desse lapso e dessa recuperação, mas foi ao menos uma experiência muito real para ele, e sem dúvida contribuiu para reforçar sobre sua conversão e que posteriormente ele comentava

---

[3] Isso é, para a igreja em Bolton, Connecticut. Mas, por alguma razão, agora não evidente, ele nunca foi instituído lá. Veja S. Simpson, *Jonathan Edwards – a Historical Review*, Hartford Seminary Record. xiv. 11, novembro de 1903. (N.O.)

durante suas pregações. Seu próprio estado após essa mudança decisiva era, por vezes, um êxtase místico, "uma calma e doce abstração da alma de todas as preocupações deste mundo; e às vezes um tipo de visão, ou ideias fixas e imaginações, de estar sozinho nas montanhas ou em algum deserto solitário, longe de toda a humanidade, conversando docemente com Cristo e envolvido e absorvido em Deus". Seu diário é o registro de uma alma que se esforça em seu voo. Ele observa as flutuações de seu humor com uma intensidade quase mórbida, no entanto, de maneira não meramente convencional com singular ausência de sentimentalismo, suas observações, tão evidentemente sinceras, são, em certo sentido, objetivas. Das setenta Resoluções, todas escritas antes dos 20 anos, pode-se tomar o exemplo a seguir; trata-se da linguagem de uma mente tão verdadeiramente original quanto religiosa, e é eminentemente característica: "Na suposição de que nunca houve um único indivíduo no mundo, em qualquer época, que fosse apropriadamente um cristão completo, em todos os aspectos com o selo do que é correto, tendo o cristianismo sempre reluzindo em seu verdadeiro brilho e aparentando ser excelente e adorável, de todas as formas e em qualquer aspecto visível, *Resolvo*: agir exatamente como eu faria, se lutasse com todas as minhas forças para ser essa pessoa que deveria viver no meu tempo". E ele agiu assim, essas resoluções não eram vazias, elas realmente determinaram sua vida.

Edwards foi ordenado em Northampton, em 15 de fevereiro de 1727, aos 24 anos. Cinco meses depois, em 28 de julho, casou-se com a linda Sarah Pierrepont, então com 17 anos, filha do reverendo James Pierrepont, de New Haven, um dos fundadores e um destacado administrador do Yale College, e, por parte de mãe, bisneta de Thomas Hooker, "o pai das igrejas de Connecticut". A descrição de Edwards sobre ela, escrita quatro anos antes do casamento, é famosa[4]. A união provou ser

---

4 Impresso pela primeira vez por Dwight, *Life of President Edwards*, p. 114, e frequentemente reproduzido. Foi comparado à descrição de Beatriz por Dante, que em pura qualidade lírica certamente é igual, embora não tenha a coloração sensual e a idealização imaginativa deste último. A comparação é feita por A. V. G. Allen, "The Place of Edwards in History". in: *Jonathan Edwards: a Retrospect*, p. 7; o contraste é apontado por John De Witt, Stockbridge (1903), *Oration*, p. 45 (publicação da Conferência de Berkshire). (N.O.)

singularmente feliz: a inteligência, a alegria, a piedade e a sagacidade prática da sra. Edwards combinadas tornaram-na ao mesmo tempo uma companheira agradável e uma ajudante muito útil para seu zelosamente devoto, altamente intelectual, mas muitas vezes melancólico marido, imerso em seus escritos e livros. Tiveram doze filhos, todos nascidos em Northampton. O sr. Stoddard morreu em 11 de fevereiro de 1729, deixando o jovem ministro com a responsabilidade pastoral completa. Era um empreendimento de responsabilidade para um rapaz tão jovem guiar os assuntos de uma igreja que tinha a reputação de ser a maior e mais rica da colônia fora de Boston, na qual também o venerável e prezado Stoddard havia estampado a impressão de sua forte personalidade durante um ministério de quase sessenta anos. Edwards, como mais tarde confessa, cometeu erros. No entanto, conseguiu conquistar e manter a confiança, a admiração e a afeição do povo a maior parte dos vinte e três anos de seu ministério em Northampton. Ele conduziu a igreja por dois grandes períodos de avivamento (1734-1735, 1740-1742) e acrescentou mais de quinhentos e cinquenta nomes aos seus membros[5]. Isso, no entanto, representa apenas uma pequena parte de sua influência nesses anos. Tanto por sua pregação em Northampton e em outros lugares quanto por seus escritos publicados, notadamente seus sermões impressos e suas obras sobre os avivamentos, nos quais deve ser incluído seu tratado *As Afeições Religiosas*, ele influenciou poderosamente as correntes do pensamento e da vida religiosa na Nova Inglaterra e nas colônias vizinhas e, até certo ponto, também na Inglaterra e Escócia. Sua missão era trazer de volta as igrejas puritanas, que durante cerca de setenta anos haviam definhado em um período de declínio, aos antigos altos padrões puritanos de credo e de conduta e infundir nelas um novo espírito de piedade vital. Nisso, teve grande sucesso; e ainda hoje, apesar de grandes afastamentos de seu sistema teológico, ele continua sendo uma força espiritual eficaz nas igrejas que herdam a tradição puritana.

---

5   Solomon Clark, *Historical Catalogue of the Northampton First Church*, p. 40-67 (Northampton, 1891), reproduz a lista na íntegra. (N.O.)

O afastamento entre Edwards e seu povo começou em 1744, relacionado a um caso disciplinar em que um grande número de jovens pertencentes às principais famílias da cidade estavam sob suspeita de leitura e circulação de livros imorais. Durante a emoção do avivamento, o povo aceitou de bom grado as altas exigências de Edwards. Mas agora, em reação, carne e sangue se rebelaram. Edwards, no entanto, não era o homem capaz de acomodar as reivindicações da religião, como concebia essas reivindicações, às fraquezas da natureza humana. Não seria estranho se, nessas circunstâncias, o povo considerasse seu ministro um tipo de ditador espiritual, exercendo uma espécie de tirania espiritual. Ainda assim, esse sentimento, embora existisse em certa medida, provavelmente não levaria a uma ruptura aberta se, quatro anos depois, por ocasião de uma solicitação de filiação à igreja, a primeira naqueles anos, Edwards não tivesse procurado impor um novo teste de qualificação. Ele exigia, a saber, que o candidato à plena comunhão demonstrasse ser convertido e, como pessoa convertida, fizesse uma profissão pública de piedade. Essa restrição contrariava os princípios e o uso estabelecidos pelo sr. Stoddard, aceitos pela maioria das igrejas vizinhas e até então seguidos pelo próprio Edwards, segundo os quais não apenas as pessoas poderiam ser admitidas como membros da igreja nos termos da "Aliança do Meio Caminho", mas poderiam vir à Ceia do Senhor, se assim desejassem, mesmo sem a garantia da conversão, com a esperança de que o rito pudesse ser uma ordenança de conversão. Edwards agora estava abertamente empenhado em tentar impor as novas normas sobre os irmãos, e a indignação foi enorme. Ele, por sua vez, mostrava-se convencido da correção de sua posição e estava preparado para mantê-la a todo custo. A infeliz controvérsia durou dois anos: Edwards era digno, cortês e disposto a ser conciliatório, mas insistia no reconhecimento de suas atribuições e mostrava toda sua grande superioridade moral e intelectual; o povo preconceituoso, obstinado, recusou-se a considerar suas opiniões ou a permitir que ele as expusesse no púlpito, empenhando-se apenas em se livrar dele. Finalmente, em 22 de junho de 1750, o Conselho se reuniu para falar sobre o assunto e recomendou, por uma votação de dez a nove com a minoria que protestava, que as relações pastorais fossem dissolvidas. O sentimento convergente da igreja foi expresso pelo resultado esmagador de cerca de duzentos votos a vinte dos membros do sexo masculino. No domingo seguinte, um solitário Edwards pregou seu Sermão de Despedida[6].

Edwards tinha agora 46 anos de idade, incapaz, como ele diz, para qualquer outro negócio que não fosse estudar e com uma "família numerosa e custosa" para enfrentar o mundo. A longa controvérsia e as circunstâncias da demissão tiveram um efeito avassalador sobre ele, e as perspectivas lhe pareciam sombrias ao extremo. Mas sua confiança estava em Deus, e os amigos não falharam. Da Escócia, veio a oferta de assistência por meio de uma contratação. Seus adeptos de Northampton desejavam que ele permanecesse e formasse uma igreja separada na cidade. No início de dezembro, recebeu um telefonema da pequena igreja de Stockbridge, na fronteira, e na mesma época um convite dos Comissários de Boston da Sociedade de Londres para Propagação do Evangelho na Nova Inglaterra e em Terras Adjacentes para se tornar missionário dos índios, que na época constituíam grande parte do assentamento de Stockbridge. Depois de se familiarizar com as condições do trabalho, ao residir vários meses em Stockbridge, e após de receber garantias satisfatórias, em uma entrevista pessoal com o governador

---

6   É impossível aqui entrar na história dessa famosa controvérsia. Algo a respeito será encontrado nas notas, p.172ss.; Dwight, op. cit., p. 298-448, reproduz os documentos dos diários de Edwards na íntegra; os registros da igreja são omissos. Deveria ser afirmado, talvez, para ser justo com o povo de Northampton, que a relação pastoral não era então, como às vezes se supõe, considerada indissolúvel; seis clérigos das igrejas vizinhas foram "demitidos" entre 1721 e 1755. Além disso, Edwards, indubitavelmente eminente enquanto pregador, era para eles apenas o ministro da paróquia; sua grande fama como teólogo foi estabelecida mais tarde. Cf. Trumbull, *History of Northampton*, vol. II, p. 225. Também não é irracional supor que as capacidades espirituais das pessoas tenham sido estimuladas em excesso. O arrependimento posterior de Joseph Hawley (veja Dwight, op. cit., p. 421), primo de Edwards, que havia se destacado no movimento contra ele, diz respeito apenas ao espírito da oposição; não questiona seriamente a sabedoria, nas circunstâncias, da separação. (N.O.)

relacionada à condução da missão indígena, ele aceitou as duas propostas. Mal tinha feito isso quando recebeu um chamado, com a promessa de apoio generoso, de uma igreja na Virgínia.

A oposição que o expulsara de Northampton o seguiu até Stockbridge. Durante vários anos, um esforço persistente foi feito para impedi-lo de trabalhar, particularmente com os índios e até mesmo para garantir que fosse tirado de lá. Mas ele foi bem-sucedido ao enfrentar a oposição, conquistando a confiança dos índios e sendo bem visto pelos "ingleses". Nessa ocasião, também, em uma área inóspita, encontrou tempo e oportunidade para escrever aqueles grandes tratados sobre a *Liberdade da Vontade*, *O Fim Para o Qual Deus Criou o Mundo*, *A Natureza da Verdadeira Virtude e a Doutrina Cristã do Pecado Original*, que são os principais fundamentos de sua reputação teológica.

Enquanto isso, um evento ocorreu na família de Edwards e estava destinado a ter consequências importantes: o casamento de sua filha Esther com o reverendo Aaron Burr, presidente da Nassau Hall, em Princeton[7]. Em setembro de 1757, o senhor Burr morreu; dois dias depois, a Corporação nomeou Edwards como seu sucessor. Por vários motivos, Edwards ficou relutante em aceitar a nomeação, desconfiava de sua condição física e receava especialmente que os deveres do cargo interrompessem seriamente a obra literária em que estava agora absorto. No entanto, por recomendação de um Conselho convocado por seu desejo de aconselhar sobre o assunto, aceitou o convite. Ele deixou Stockbridge em janeiro e, no fim do mês, chegou a Princeton. Porém, a única atividade como presidente da faculdade foi pregar por cinco ou seis domingos e apresentar temas sobre divindade à turma de veteranos, com os quais depois discutiu sobre tais temas. A varíola era epidêmica na cidade quando ele chegou e, como medida de precaução, foi vacinado. A doença, leve no início, se agravou e, em 22 de março de 1758, Edwards

---

7 Aaron Burr, vice-presidente dos Estados Unidos, que matou Alexander Hamilton em um duelo, descendia deles. (N.O.)

faleceu. De seu leito de morte, enviou esta mensagem terna e carinhosa para sua esposa que ainda estava em Stockbridge: "Dê meu mais gentil amor à minha querida esposa e diga a ela que a união incomum, que há tanto tempo subsiste entre nós, tem uma natureza tal que, confio, é espiritual e, portanto, continuará para sempre". Suas últimas palavras, também características, foram: "Confie em Deus e não temerá".

Um homem alto e magro, com testa elevada e larga, olhos claros e penetrantes, nariz proeminente, lábios finos e firmes e queixo bastante fraco, toda a sua aparência sugerindo a perspicácia do intelecto e integridade, o refinamento e a benevolência do caráter de quem possui pouca energia física, pouco adequado para assuntos práticos, mas intensamente vivo no espírito, absorvido na contemplação de coisas invisíveis e eternas. As duas qualidades, de fato, pelas quais ele mais se destaca são: espiritualidade e intelectualidade. A mente espiritual era o núcleo e a essência de seu ser. A religião era seu elemento. Deus era para ele a Realidade absoluta, somente Sua vontade e Seus pensamentos constituíam a verdade e o significado das coisas. Isso não era para Edwards uma mera especulação filosófica, era a região elevada em que respirava vitalmente, a terra sólida sobre a qual andava. Ele andou com Deus. Foi chamado de "Santo da Nova Inglaterra". Como outros santos, ele também tem, ocasionalmente, seus êxtases[8].

A essa espiritualidade, com sua rica coloração emocional, unia-se uma capacidade e uma sutileza do intelecto que apenas os maiores mestres possuem. O mundo espiritual no qual Edwards se moveu não era para ele um mero reino sombrio de sentimentos piedosos ou de aspiração vaga, mas um mundo cujos principais contornos, no mínimo, foram nitidamente definidos pelo pensamento. Ele o concebeu, a saber, de acordo com o esquema das coisas sistematizadas por Calvino,

---

[8] Veja, por exemplo, o incidente registrado por Dwight, op. cit., p. 133, no qual o arrebatamento dura cerca de uma hora, acompanhado a maior parte do tempo "por lágrimas e choro em voz alta". (N.O.)

mas originalmente elaboradas com a força convincente do gênio transcendente de Agostinho. O pensamento teológico de Agostinho preocupa-se em apresentar o assunto da maneira mais simples possível, com a elaboração de quatro ideias fundamentais: a soberania absoluta de Deus, a dependência absoluta do homem, a revelação sobrenatural de um plano de salvação de origem divina administrado pela Igreja e uma filosofia da história segundo a qual todo o universo criado e todo o curso temporal dos eventos são ordenados e governados desde toda a eternidade, com referência ao estabelecimento e triunfo de um reino de santos na Igreja, a santa "Cidade de Deus". A concepção da Igreja de Agostinho é modificada, mas não em princípio rejeitada pelos teólogos protestantes; as outras características do esquema permanecem substancialmente inalteradas. A ideia da soberania absoluta de Deus leva naturalmente, em conexão com os motivos apresentados por certos ensinamentos das Escrituras, pela jurisprudência romana, a filosofia grega e as experiências de uma profunda consciência religiosa, às doutrinas da eterna presciência de Deus, Seus "arbítrios", isto é, os incondicionais decretos, o eterno plano mundial, a predestinação, a eleição, a obra histórica da redenção, a punição eterna para os ímpios impenitentes e a felicidade eterna para os santos eleitos. Contra a soberania de Deus, está a absoluta dependência humana, historicamente condicionada, no que diz respeito às suas atuais capacidades espirituais, pela Queda com o pecado original, a depravação total e a total incapacidade do homem de recuperar por si mesmo sua herança perdida como consequência. Daí a grande e essencial tragédia da vida humana: o homem naturalmente corrupto, na escravidão ao pecado, na inimizade com Deus, totalmente incompetente para mudar uma condição na qual, por uma espécie de necessidade natural, é o sujeito da justiça vingativa de Deus, totalmente dependente para a salvação da graça gratuita e imerecida de Deus, que tem misericórdia de quem Ele terá misericórdia, ao passo que será severo com quem Ele quer ser severo, revelando igualmente em misericórdia e em punição a majestade de Seus atributos divinos e soberanos.

Este, em geral, é o esquema que Edwards defende de modo mais notável entre todos os homens dos tempos modernos. Seu temperamento especulativo conferiu a esse esquema uma base metafísica, sua elaboração e defesa da perspicácia lógica. Ele o modificou em alguns aspectos, por exemplo, em sua doutrina da vontade. O aspecto mais importante é ter destacado o estado interno do homem, as disposições e afeições de sua mente e de seu coração, influenciando sensivelmente os valores relativos do esquema e, de fato, mudando toda a aparência do pensamento religioso na Nova Inglaterra. Mas, quanto ao esquema geral em si, a filosofia da religião, a filosofia da vida que ele expressa, não há nada nele que seja essencialmente original de Edwards. Ao defender essas doutrinas, ele apenas promove a grande tradição ortodoxa.

No entanto, por menos que seja original o conteúdo de seu pensamento, não há nada que seja mais original do que sua maneira de pensar. O importante em Edwards é a maneira como ele se envolve na tradição, infundindo-a com sua personalidade e tornando-a viva. A vitalidade de seu pensamento confere ao seu produto o valor de uma criação única. Duas qualidades nele contribuem especialmente para esse resultado: uma grande imaginação construtiva e um poder maravilhosamente agudo de raciocínio abstrato. Com a visão de um profeta, ele olha firmemente para seu mundo, que é o mundo de todos os tempos, espaço e existência, e o vê como um todo. Deus e as almas são as grandes realidades, e as transações entre eles, a grande atividade em que todo o movimento está envolvido; e tal movimento não tem nada de acaso, sendo eternamente determinado com referência a um fim supremo e glorioso: a manifestação da excelência de Deus, a mais alta excelência do ser. Todos os aspectos sombrios e trágicos da visão, que para ele são intensamente reais, são analisados com outros ponto de vista, em um sistema em que cada parte obtém significado e valor a partir de sua relação com o todo. Pessoas se perguntam como Edwards, o mais gentil dos homens, poderia contemplar, como ele disse que o fez, com doçura e deleite, a terrível doutrina da soberania divina interpretada, como ele a decifrou, como sendo a miséria eterna de grande parte da raça humana. A razão não é uma indiferença revoltante, insensível e desumana ao sofrimento; a razão é antes o desapego pessoal, o interesse desinteressado, a libertação da "falácia patética" do grande poeta, do grande pensador criativo. É essa grande qualidade na imaginação de Edwards que é uma fonte de seu poder. Outra é a minuciosidade e habilidade com que elabora intelectualmente os detalhes de seu esquema. De fato, ele não escreveu nenhum sistema de divindade; no entanto, é o oposto de um pensador fragmentário, e poucas mentes foram menos dispersivas do que a dele. Suas construções intelectuais são grandes e sólidas. Das doutrinas com as quais ele lida, não deixa nada por desenvolver; com infinita paciência, leva suas investigações para cada mínimo detalhe e consequência remota, colocando seus adversários em confusão pelo ataque incessante, o peso esmagador do argumento. Raramente alguém que aceita suas premissas é capaz de escapar de suas conclusões. Além disso, pela minuciosidade, agudeza e sinceridade de seu raciocínio, estimula poderosamente as faculdades intelectuais. Mesmo em seus sermões mais incríveis, ele nunca apela para a mera esperança, nem pelo medo, nem para a autoridade, como em seus tratados teológicos, está empenhado em demonstrar, dentro dos limites prescritos pelos pressupostos subjacentes, a razoabilidade de sua doutrina, sua concordância com os fatos da vida e a constituição das coisas, bem como com os ensinamentos inspirados da Palavra.

Pois bem, essas qualidades aparecem, como em seus outros escritos, do mesmo modo e talvez de forma mais evidente, em seus sermões. O principal trabalho público de Edwards e a reputação primordial em sua vida foi como pregador; a fama de seus tratados teológicos é em grande parte, de fato, póstuma. Ele era um excelente pregador. No caso de muitos dos teólogos mais antigos, atualmente é difícil entender como eles poderiam ter sido considerados grandes pregadores; para nós, seus sermões parecem vazios e insípidos. Mas não é assim com Edwards. Mesmo impressos, depois de mais de cento e cinquenta anos, e, apesar do abismo que separa nossa era da dele, seus sermões ainda são profundamente interessantes. Eles são marcantes porque, entre outras coisas, revelam uma grande e intrigante personalidade. Eles estão impregnados da energia de seu intelecto e ganham vida com o toque vital de seu gênio. Ele pregou sua teologia; alguns de seus sermões, por exemplo, o sermão, ou melhor dizendo, a combinação de sermões sobre a Justificação pela Fé, parecem ser menos sermões do que investigações teológicas altamente elaboradas, adaptadas ao uso de estudantes profissionais. Sem dúvida, não há sermão dele que não reflita, até certo ponto, seu sistema teológico. Edwards certamente ficou impressionado com a importância e a vantagem de um conhecimento completo da verdade divina, tema e título de um de seus discursos mais hábeis. Ele defendia que Deus se revelara não apenas ao coração, mas à mente do homem, e que uma apreensão inteligente da revelação era indispensável, em certa medida, semelhantemente à fé salvadora e ao desenvolvimento do caráter cristão. Mas seria um erro pensar em Edwards como pregando os ossos secos de sua teologia. De fato, ele estava longe de supor, como alguns agora parecem fazer, que uma sociedade cristã pode ser a mais perfeitamente organizada à medida que toda a definição de concepções teológicas, ou seja, distintamente religiosas, é eliminada. Ele tinha um respeito grande demais pelo intelecto para excluí-lo de assuntos de caráter tanto profundamente especulativo quanto prático, tendo uma ideia elevada demais da religião para identificá-la com emoções vagas e transcendentais ou apenas com emoções pessoais, sociais ou de moralidade política. Seus sermões, no entanto, não são de forma alguma de um único tipo. Pelo contrário, possuem uma grande variedade. Eles são "doutrinários", "práticos", "experimentais" e, levando-se em consideração os manuscritos não publicados, há um número incomumente grande de sermões "ocasionais"[9]. Além disso, existem muitas variedades dentro dos tipos. Mas, mesmo quando os sermões são mais

---

9   Veja F. B. Dexter, *The Manuscripts of Jonathan Edwards*, p. 7. (Reproduzido dos Anais da Massachusetts Historical Society, Março de 1901.) (N.O.)

"doutrinários", o interesse prático de uma *convicção viva* da verdade nunca está ausente. A antítese abstrata do pensamento e da vida, da teoria e da prática, como se o pensamento não fosse um ato ou como se uma atitude em relação à verdade não fosse ela própria prática ou capaz de determinar outras atitudes práticas, é um erro do qual Edwards é totalmente livre.

Dizer isso não é necessariamente aprovar o conteúdo de sua pregação doutrinária. O pensamento das igrejas às quais Edwards estava associado se afastou de seu pensamento. Ele lutou firmemente por seu esquema de coisas, mas lutou, ao que parece, uma luta perdida. Não é que ele tenha sido refutado pela lógica abstrata; o argumento pelo qual ele foi rejeitado, se é que foi rejeitado, é a lógica dos eventos. Sem dúvida, a mudança foi causada por muitas influências. Algumas delas parecem puramente sentimentais. Mas há dois pontos, pelo menos, de divergência fundamental no caráter de nosso tempo: o desenvolvimento em nós de um sentido histórico criticamente disciplinado e a influência dominante em nossa ciência e filosofia modernas da ideia de evolução. Isso quebrou essas distinções duras e firmes entre natureza e sobrenatural, natureza e graça, razão humana e revelação divina, nas quais Edwards se deleitava, pelo menos na forma em que habitualmente as pregava. Com o estabelecimento, nas linhas da crítica histórica, de novos cânones de exegese na interpretação das Escrituras e com o desaparecimento gradual da ideia da Bíblia como autoridade externa, o cristianismo protestante está atualmente confrontando a questão se toda a reivindicação do cristianismo como uma revelação sobrenatural, no sentido em que o termo "sobrenatural" é usado por teólogos ortodoxos, não se tornou equivocada. Essa é uma pergunta que Edwards nunca faz e que ele não nos ajuda diretamente a resolver. Ele tem a mente de um filósofo especulativo, com um pensamento muito profundo de Deus, que capta firmemente o significado espiritual eterno das coisas, mas ele é deficiente no sentido histórico; sua *História da Redenção* é uma construção dogmática e totalmente acrítica, e ele não é especulativo o suficiente para encontrar, ou pelo menos trabalha sob condições que o impedem de mostrar os princípios de mediação pelos quais as antíteses e contradições de experiência e teoria podem ser conciliadas e anuladas.

Voltando aos sermões. Os sermões de Edwards são construídos, em geral, em um modelo definido. Temos, primeiro, a exposição do texto. Segundo, temos uma afirmação claramente formulada da doutrina, que é então desenvolvida sob suas divisões apropriadas e preanunciadas. Finalmente, temos o que é chamado de desenvolvimento, uso ou aplicação, trabalhados de maneiras semelhantes. A "Doutrina" não costuma ser um dogma teológico abstrato: é simplesmente o tema do discurso declarado em forma proposicional. Assim, um sermão inédito sobre Jo 1,41-42 tem a seguinte declaração de doutrina: "Quando as pessoas realmente vêm a Cristo, elas naturalmente desejam trazer outras pessoas para Ele, (Jo 1,41-41)". Outro sermão inédito sobre Jo 3,7 tem a seguinte forma: "Não é de admirar que Cristo tenha dito que devemos nascer de novo". Em outro, também não publicado, de Jo 1.47, a doutrina é a declaração igualmente simples: "É uma grande coisa ser de fato uma pessoa convertida". Às vezes, embora raramente, a declaração de uma doutrina é omitida por completo, sendo o próprio texto visto como definindo suficientemente o assunto[10]. Esse, no entanto, nunca é o caso da Aplicação. De fato, Edwards é tão "prático" em sua pregação que a Aplicação às vezes é a maior parte do discurso. No sermão de (Jo 1,47), por exemplo, ela preenche cerca de dois terços do manuscrito. De fato, a proporção dessas partes, Exposição, Desenvolvimento de Doutrina e Aplicação, depende inteiramente da natureza do tema e dos fins especiais do sermão, e da mesma forma do tamanho e da quantidade de subdivisões. Uma característica é constante: o arranjo estritamente lógico. Por mais finamente articulados que sejam os sermões, eles são

---

10 Como no grande sermão ético sobre o Pecado do Furto e da Injustiça no texto: "Não furtarás" (Sin of Theft and of Injustice from the text, "Thou shalt not steal"). Works, reimpressão Worcester, IV, 601. (N.O.)

construídos de modo a causar uma impressão distintamente unificada. Essa unidade de impressão também não é seriamente modificada, em regra, pela duração do sermão. Edwards não costumava esgotar a atenção de seu público. Ocasionalmente, porém, desenvolvia seu tema por meio de dois ou mais sermões. Quando eles aparecem nas edições impressas como um único discurso, o tamanho obviamente parece desproporcional. Nos manuscritos, as partes de tais sermões compostos são indicadas pela palavra "Doc"[11] (Doutrina) nas divisões, sugerindo que o pregador não costumava, ao renovar o tema, lembrar aos seus ouvintes da natureza precisa do assunto em discussão[12].

Como não havia confusão no pensamento, o estilo dos sermões de Edwards é singularmente claro, simples e improvisado. Ele não busca adornos que o assunto em si e seu interesse por ele não causem naturalmente. "O estilo é o homem", é um ditado que se aplica particularmente a ele. A nobreza, a força e a franqueza de seu pensamento, a vivacidade e a amplidão de sua imaginação, a veracidade e a elevação de seu caráter, a intensidade de suas convicções e sua fervorosa paixão refletem-se em seus discursos. Eles parecem ter sido, em um grau incomum, uma forma espontânea de autoexpressão. Mas a atenção nunca é desviada do assunto para a habilidade da obra. O propósito não é encantar, mas convencer, e a finalidade desse objetivo é buscada por métodos diretos de argumento, persuasão e apelo. No entanto, o estilo, embora simples e direto, está muito longe de ser estéril. Os sermões estão cheios de grandes, ricas e belas palavras; há muitas passagens neles de encanto maravilhoso, bem como muitas de grande sublimidade e poder retórico. Mas o interesse de Edwards por elas nunca parece meramente verbal. Ele não é um criador de expressões. Ele faz uso de metáforas impressionantes e antíteses surpreendentes. Seu estilo é frequentemente pitoresco. Conhece bem o valor retórico da iteração –,

---

11 Abreviação de *doctrine* em inglês. (N.T.)
12 Exemplos disso são encontrados nos sermões manuscritos de João 1.47 e João 1.41-42, que são aqui considerados típicos. (N.O.)

quando a frase repetida é empregada em um contexto variado –, mas nunca procura produzir seus efeitos por vias literárias indiretas. Ele pode ser fácil, familiar, coloquial até, ocasionalmente, se isso se adequar ao seu propósito; mas nunca é indigno, nunca vulgarmente sensacional, nem parece ser intencionalmente engraçado. A construção de suas sentenças é muitas vezes condenada pelo pedantismo dos padrões modernos; mas, por mais antiquada que seja, raramente é verdade que a expressão possa ser chamada de extravagante ou singular. A influência externa mais determinante em seu estilo foi inquestionavelmente a antiga e conhecida versão em inglês da *Bíblia King James*. Sua linguagem está saturada com seu pensamento e fraseologia. E, como está intimamente familiarizado com ela em todas as suas partes, ele a cita várias vezes e nos surpreende constantemente com novas descobertas, em novas colocações, com sua variedade, beleza e imponência. Também foi influenciado, sem dúvida, por sua leitura exclusivamente teológica e filosófica. Mas é, no fim das contas, a originalidade de seu gênio, a profundidade, sutileza e força de sua mente, bem como a riqueza de suas experiências espirituais que devemos considerar como determinantes em seu estilo. Os sermões de Edwards são marcas registradas: não são apenas interessantes como memoriais históricos das condições religiosas de seu tempo, como expressões pessoais de uma mente original, trabalhando em material tradicional, de fato, mas animando-o e remodelando-o com a forma única de uma grande personalidade, além do valor literário.

Em grande parte à união dos elementos intelectuais e emocionais mencionados – a definição da mensagem, a unidade lógica do pensamento, a singularidade e a sinceridade do objetivo, a intensidade da convicção, o conhecimento profundo das Escrituras, a familiaridade significativa, por meio da experiência pessoal, dos movimentos religiosos do coração humano – deve ser, em conexão com o estado de pensamento e sentimento religioso da época e o respeito despertado pelo caráter do pregador e o poder que ele exerce sobre seus contemporâneos. De sua maneira de pregar, temos o seguinte testemunho autêntico de seu aluno Hopkins: "Sua aparência ao púlpito era elegante, e sua apresentação era fácil, natural e muito solene. Ele não tinha uma voz forte e alta, mas possuía tanta gravidade e solenidade e falava com tanta nitidez, clareza e precisão que suas palavras eram repletas de ideias, sendo colocadas sob uma luz tão clara e marcante que poucos oradores foram capazes de atrair a atenção de um público como ele. Suas palavras frequentemente revelavam um grande grau de fervor interior, sem muito ruído ou emoção externa, caíam com grande peso sobre a mente de seus ouvintes. Fazia pouco movimento com a cabeça ou com as mãos sobre o púlpito, falava conforme o pulsar de seu coração, de maneira calma e eficaz, tão naturalmente que envolvia a todos.

"Em geral, pelo fato de ter escrito seus sermões por muitos anos e de sempre escrever uma parte considerável da maioria de seus discursos públicos, ele também levava suas anotações para o púlpito, contudo, não ficava tão confinado às suas anotações, em geral, quando as escrevia, tanto que, se alguns pensamentos lhe viessem à mente, enquanto falava, que não lhe haviam ocorrido ao escrever, e lhe parecessem pertinentes e marcantes, ele os apresentava; isso com maior propriedade e geralmente com maior *pathos*[13], atendendo com efeito mais sensato aos ouvintes do que tudo o que havia escrito[14]."

Os sermões do presente volume foram selecionados como representantes de Edwards, o pregador, e não de Edwards, o teólogo. Qualquer coleção desse tipo deve incluir pelo menos os quatro seguintes: o *Sermão da Dependência Humana*, o *Sermão da Luz Espiritual*, o *Sermão de Enfield* e o *Sermão de Despedida*. Eles são clássicos. Além disso, representam Edwards em quatro de seus aspectos mais distintos: como poderoso defensor de uma teologia que se baseia, em última

---

13 Termo grego muito utilizado em filosofia. Relaciona-se à capacidade de uma obra ou pessoa de provocar reflexão, compaixão, piedade e melancolia. (N.T.)
14 Samuel Hopkins, *Life of Edwards*, p. 48. (N.O.)

análise, no princípio de uma vontade transcendente, justa e soberana; como o advogado igualmente convencido do princípio místico de uma apreensão imediata e intuitiva, por meio da iluminação sobrenatural da verdade divina; como o revivalista flamejante, com lógica impiedosa e exagerado realismo de descrição, despertando, assustando, subjugando o pecador com a sensação de destruição iminente; por fim como o ministro rejeitado, apelando, sem rancor ou amargura, do julgamento deste mundo para o de um tribunal infalível e mostrando o que deve sempre torná-lo mais interessante, mais precioso como uma herança da Igreja e do mundo do que qualquer outra de suas opiniões ou obras é a dignidade e a tranquilidade, a paciência, a força e a profundidade de um grande caráter, aperfeiçoado pelo sofrimento e aparente derrota, nessa que era virtualmente a apologia de sua vida ministerial. Somente esses sermões seriam suficientes para justificar a reputação de Edwards como o principal pregador de sua época. Ainda assim, eles não podem, é claro, ser considerados como únicos representantes do alcance e poder que os discursos de Edwards causavam nas pessoas. Mais concretamente, o *Sermão de Enfield*, que pairou tão fortemente na imaginação popular sobre Jonathan Edwards e que de fato é apenas um, certamente o mais extremo, dentre outros do mesmo estilo, não pode ser considerado tão representativo dos sermões de avivamento de Edwards. Portanto, foi adicionado, nesta referência, um sermão de avivamento de outro tipo, o sermão da Resolução de Rute. Esse sermão foi escolhido não por ser melhor do que outros, mas porque, apesar de ser um excelente sermão desse tipo, também é breve e, assim, melhor adaptado ao escopo deste volume. Acrescentou-se ainda, por representar um tipo bem diferente de qualquer outro, o sermão fúnebre, intitulado *Um Cajado Forte Quebrado e Ressecado*, que é certamente um dos mais nobres, em pensamento e expressão, dos discursos de Edwards, e provavelmente único entre seus escritos, por tratar do assunto do governo civil e da administração de negócios. Se tivéssemos espaço, a figura do estadista cristão nesse sermão poderia ter sido comparada à figura do ministro cristão em um dos sermões de ordenação; mas a omissão é a menos séria, pois a concepção é bem amplamente realizada no próprio Edwards.

Os seis sermões mencionados foram selecionados independentemente do fato de estarem entre os dez publicados por seu autor; mas essa circunstância confirma a escolha e, além disso, serve para autenticar o texto. Edwards não sofreu pouco nas mãos de seus editores, principalmente Dwight, que pareceu ter sido tomado pela ideia de que seu autor aparentemente seria beneficiado em um estilo e linguagem mais elegantes e refinados. "Não faça como Orfa fez", defende Edwards no *Sermão de Rute*; "Não faça o que Orfa fez", é o fraco refinamento de seu editor. Mas nem mesmo a Worcester ou a First American Edition (1809), geralmente precisas, merecem uma confiança inquestionável. Por exemplo, duas páginas inteiras são omitidas no final do *Sermão de Enfield*, dando a este um fechamento surpreendente e bizarro, totalmente fora do costume habitual de Edwards. As edições posteriores importam outros erros e, mesmo enquanto professam seguir a edição de Worcester, às vezes na verdade não seguem essa edição, mas a de Dwight por exemplo, no *Sermão de Rute*. O presente texto é baseado em uma comparação cuidadosa das edições originais, agora muito escassas, no Athenæum de Boston. As expressões originais, *'tis, won't, don't*, etc., como o próprio Edwards as escreveu, foram alteradas. Vários erros verbais nas edições posteriores foram corrigidos e várias linhas omitidas, restauradas, além da longa passagem já mencionada, que está, no entanto, em Dwight, no final do *Sermão de Enfield*.

Nenhuma tentativa, no entanto, foi feita para fornecer uma reprodução fac-símile das primeiras edições com todos os erros de suas impressoras, ortografia caprichosa, pontuação antiquada, uso grosseiro de maiúsculas e itálico. Esses fatores externos poderiam apenas distrair o leitor moderno, sem acrescentar nada essencial à precisão. Sob esses aspectos, portanto, o uso mais moderno foi seguido.

O objetivo era simplesmente fornecer as palavras exatas dos originais e preservar seu espírito, tratando os sermões como sermões a serem pregados e não como ensaios a serem lidos. Assim, ao evitar os extremos das primeiras edições, o itálico foi usado onde Edwards os empregou para marcar divisões ou para dar ênfase especial, um pouco mais livremente do que seria habitual agora. Esta edição também segue o uso bíblico para alguns tipos comuns de pronomes pessoais referentes a seres divinos, conforme Edwards utilizou; a reverência verbal no uso moderno de letras maiúsculas é considerada desnecessária para aumentar a reverência real do pensamento de Edwards e, possivelmente, um pouco inapropriada. As palavras adicionadas são colocadas entre colchetes para diferenciá-las.

Além dos seis sermões mencionados, a coleção atual inclui um muito interessante semão se não exatamente excelente, sobre as Muitas Moradas, que ainda não havia sido publicado. Uma cópia feita para o falecido professor Edwards A. Park, de Andover, foi gentilmente colocada à disposição do editor por seu filho, o reverendo dr. William E. Park, de Gloversville, Nova Iorque, mas também foi cuidadosamente comparada com o manuscrito original. O editor também examinou os manuscritos originais de todos os outros sermões do volume, exceto o do Sermão de Despedida, que não pôde ser encontrado. Esses manuscritos estão todos na coleção de mil e cem a mil e duzentos sermões de Edwards, atualmente na Biblioteca da Universidade de Yale. A maior parte desses manuscritos está redigida em um estilo extremamente minucioso, com muitas abreviações e, ocasionalmente, com pequenas inserções, em folhas de papel com cerca de 35/8×41/8 polegadas, firmemente costurados. O fac-símile da primeira página do *Sermão sobre Luz Espiritual,* (op. cit., p. 21), relativamente bem pequeno, tem o formato um pouco maior. Dos manuscritos em particular, alguns relatos serão encontrados nas notas. O manuseio e a decifração desses manuscritos dão uma curiosa sensação de intimidade com o funcionamento do cérebro e do coração de Edwards: é como estar com ele em seu escritório e ver, por assim dizer, exatamente o que está sendo produzido. Parece que se sente a intensidade da empolgação quando, com seu público presente na imaginação, e com grande prazer na atividade da criação literária, ele elabora seu tema. Pode-se observar como formas alternativas de expressão e linhas alternativas de desenvolvimento se insinuam, e como depois parágrafos inteiros e páginas inteiras são arrancadas com grande intensidade. E então, geralmente no final, os esboços mais simples são criados para serem preenchidos na execução. Mas os manuscritos dos sermões que o próprio Edwards publicou não oferecem ajuda na correção do texto. Os sermões, como ele os imprimiu, invariavelmente expandidos e frequentemente muito alterados em outros aspectos, além disso, a cópia preparada para impressão não existe mais[15]. Essa circunstância não deve ser negligenciada no julgamento de sermões impressos diretamente dos manuscritos. Na coleção de Yale, há alguns que foram totalmente escritos, outros estão apenas em partes e ainda outros são meros esqueletos. A maioria dos do período de Northampton é do segundo tipo. Entre as centenas de sermões inéditos de Edwards, há sem dúvida muitos que seria interessante publicar na forma como estão; é duvidoso que exista algum que possa acrescentar materialmente algo à sua reputação de pregador em comparação com os grandes sermões já publicados.

O retrato de Edwards no volume original é de uma fotografia recente da pintura original de 1740. A fotografia foi gentilmente fornecida pelo atual proprietário da pintura, sr. Eugene P. Edwards, de Chicago, a quem o editor aproveita a oportunidade para expressar sua gratidão. Ele também deseja expressar seus agradecimentos ao dr. William E. Park pelo uso da cópia do sermão sobre as Muitas Moradas; aos editores por permitirem o espaço extra necessário para imprimir este novo sermão; ao professor Franklin B. Dexter pela ajuda generosa no estudo dos manuscritos e pela permissão para fotografar o sermão da Luz Espiritual; ao sr. Charles K. Bolton, bibliotecário do Athenæum de Boston, por cortesias no uso das primeiras edições; e ao sr. George N. Whipple, de Boston, por verificar uma série de referências.

Northampton, Mass., março de 1904

---

15 Como demonstração da expansão do sermão impresso em comparação com o manuscrito preparado para a pregação, consulte a nota da p. 157. (N.O.)

SERMÕES SELECIONADOS DE JONATHAN EDWARDS

DEUS GLORIFICADO NA DEPENDÊNCIA HUMANA

"A fim de que ninguém se vanglorie na presença de Deus. Mas vós sois Dele, em Cristo Jesus, o qual se nos tornou, da parte de Deus, sabedoria, e justiça, e santificação, e redenção, para que, como está escrito: Aquele que se gloria, glorie-se no Senhor", (1 Co 1,29-31).

Os cristãos a quem o apóstolo dirigiu essa epístola residiam em uma parte do mundo onde a sabedoria humana era muito respeitada; como o apóstolo observa no versículo 22 desse capítulo, "os gregos buscam sabedoria". Corinto não estava longe de Atenas, que havia sido por muitas eras a mais famosa sede de filosofia e aprendizado do mundo.

O apóstolo, portanto, observa-lhes como Deus, pelo evangelho, destruiu e reduziu a nada sua sabedoria humana. Os gregos eruditos e seus grandes filósofos, com toda a sua sabedoria, não conheciam a Deus: eles não foram capazes de descobrir a verdade nas coisas divinas. Mas, depois de terem feito o máximo possível, sem efeito, Deus agradou-se completamente em revelar-se pelo evangelho, que eles consideravam loucura. Ele "escolheu as coisas loucas do mundo para envergonhar os sábios e escolheu as coisas fracas do mundo para envergonhar os fortes; e Deus escolheu as coisas humildes do mundo, e as desprezadas, e aquelas que não são, para reduzir a nada as que são". O apóstolo os informa por que Ele assim o fez, no verso do texto: *A fim de que ninguém se vanglorie na presença de Deus.*

Sobre isso podem ser feitas as observações a seguir.

1. O que Deus visa na disposição das coisas no caso da redenção, a saber, que o homem não se glorie em si mesmo, mas apenas em Deus: *A fim de que ninguém se vanglorie na presença de Deus... para que, como está escrito: Aquele que se gloria, glorie-se no Senhor.*

2. Como esse fim é alcançado na obra da redenção, a saber, pela dependência absoluta e imediata que os homens têm de Deus nessa obra para todo o seu bem. À medida que:

Primeiro, todo o bem que eles têm é em e por meio de Cristo; *o qual se nos tornou... sabedoria, e justiça, e santificação, e redenção.* Todo o bem da criatura caída e redimida refere-se a essas quatro coisas e não pode ser mais bem distribuído do que nelas; mas Cristo é cada uma delas para nós, e não temos nenhuma delas senão Nele, *o qual se nos tornou, da parte de Deus, sabedoria*: Nele estão todas as boas e verdadeiras excelências do entendimento. A sabedoria era algo que os gregos admiravam, mas Cristo é a verdadeira luz do mundo; é somente por Ele que a verdadeira sabedoria é transmitida à mente. É em e por Cristo que temos *justiça*: é por estarmos Nele que somos justificados, temos nossos pecados perdoados e somos recebidos como justos no favor de Deus. É por Cristo que temos a *santificação*: temos Nele a verdadeira excelência do coração e do entendimento; e Ele a tornou inerente a nós, assim como a justiça imputada. É por Cristo que temos a *redenção*, ou a libertação real de toda miséria, e a concessão de toda felicidade e glória. Assim, temos todo o nosso bem por Cristo, que é Deus.

Segundo, outro exemplo em que nossa dependência de Deus para todo o nosso bem aparece é que foi Deus quem nos deu Cristo, para que possamos obter esses benefícios por meio Dele *o qual se nos tornou, da parte de Deus, sabedoria, e justiça...*

Terceiro, é por causa *Dele* que estamos em Cristo Jesus e passamos a ter interesse Nele, assim também recebendo as bênçãos que Ele nos traz. É Deus que nos dá fé pela qual nos aproximamos de Cristo.

Portanto, nesse versículo é mostrada nossa dependência em cada pessoa da Trindade para todo o nosso bem. Somos dependentes de Cristo, o Filho de Deus, pois Ele é a nossa sabedoria, justiça, santificação e redenção. Somos dependentes do Pai, que nos deu Cristo e O fez para nós. Somos dependentes do Espírito Santo, pois é por causa *dele que estamos em Cristo Jesus*; é o Espírito de Deus que nos faz ter fé Nele, pela qual o recebemos e nos aproximamos Dele.

DOUTRINA

Deus é glorificado na obra da redenção no sentido de que dela surge uma dependência absoluta e universal dos remidos a ele.

Proponho aqui mostrar: I. Que existe uma dependência absoluta e universal dos redimidos a Deus para todo o bem deles. II. Que Deus por essa afirmação é exaltado e glorificado na obra da redenção.

I. Existe uma dependência absoluta e universal dos remidos a Deus. A natureza e o artifício de nossa redenção são tais que os remidos são em tudo direta, imediata e inteiramente dependentes de Deus: eles dependem Dele para tudo e dependem Dele de todas as maneiras.

As várias maneiras pelas quais a dependência de um ser pode ter sobre o outro para o seu bem e em que os redimidos de Jesus Cristo dependem de Deus para todo o seu bem são estas, a saber: que eles têm todo o seu bem *Dele*, que recebem tudo *por meio* Dele e que têm tudo *Nele*. Que *Ele* é a causa e a origem de onde vem todo o bem deles, aí está o *Dele*; que Ele é o meio pelo qual o bem é obtido e transmitido, aí está o *por meio* Dele; e que Ele é o próprio bem em si que é dado e transmitido, aí está o *Nele*.

Pois bem, aqueles que são remidos por Jesus Cristo, em todos esses aspectos, dependem muito direta e inteiramente de Deus para tudo.

Primeiro, os redimidos recebem todo o seu bem *de* Deus; Deus é o grande autor disso; Ele é a causa primeira, e não somente, mas é a única causa adequada.

É de Deus que recebemos nosso Redentor: é Deus que nos deu um Salvador. Jesus Cristo não é apenas de Deus em sua pessoa, é o único Filho gerado de Deus, mas ele é de Deus por estarmos envolvidos Nele e em seu ofício de Mediador; ele é o presente de Deus para nós: Deus o escolheu e o ungiu, o designou para sua obra e o enviou ao mundo.

E como Deus é quem dá, então é Deus quem aceita o Salvador. Como é Deus quem providencia e dá o Redentor para conceder a salvação para nós, também é de Deus que a salvação é adquirida: Ele dá o comprador e arca com a coisa comprada.

É por meio de Deus que Cristo se torna nosso; que somos trazidos a Ele e unidos a Ele: é de Deus que recebemos fé para ficarmos próximos a Ele, para que possamos ter interesse por Ele: "Porque pela graça sois salvos, mediante a fé; e isto não vem de vós; é dom de Deus" (Ef 2,8). É de Deus que realmente recebemos todos os benefícios que Cristo adquiriu. É Deus quem perdoa, justifica e nos livra de descer ao inferno, e é pelo favor Dele que os redimidos são recebidos e feitos alvos Dele, quando justificados. Portanto, é Deus quem nos livra do domínio do pecado, e nos limpa de nossa imundície, e nos tira de nossa deformidade. É de Deus que os redimidos de fato recebem toda a sua verdadeira excelência, sabedoria e santidade; e é por dois modos, a saber, segundo o Espírito Santo, por quem essas coisas são diretamente realizadas, são de Deus, procedem Dele e são enviadas por Ele; e também como o próprio Espírito Santo é Deus, por cuja operação e habitação do conhecimento das coisas divinas e uma disposição santa, bem como toda a graça, são conferidas e sustentadas.

Embora meios sejam usados para conferir graça às almas dos homens, ainda é de Deus que recebemos esses meios de graça, e é Deus quem os torna eficazes. É de Deus que recebemos as Escrituras sagradas; elas são a Palavra de Deus. É Dele que temos ordenanças, e sua eficácia depende da influência imediata do Espírito de Deus. Os ministros do evangelho são enviados por Deus, e toda a sua suficiência é Dele. Segundo: "Temos, porém, este tesouro em vasos de barro, para que a excelência do poder seja de Deus e não de nós", (2 Co 4,7). O sucesso deles depende total e absolutamente da bênção e influência imediatas de Deus. Os remidos têm tudo.

1. Da *graça* de Deus. Foi por mera graça que Deus nos deu Seu Filho unigênito. A graça é grande em proporção à dignidade e excelência do que é dado: o presente era infinitamente precioso, porque era uma pessoa infinitamente digna, uma pessoa de glória infinita; e também porque era uma pessoa infinitamente próxima e querida de Deus. A graça é grande em proporção ao benefício que recebemos Dele: o benefício é duplamente infinito, pois Nele temos libertação de algo infinito, pois a miséria é eterna; e também recebemos alegria e glória eternas. A graça em conceder esse presente é grande em proporção à nossa indignidade como recebedores; em vez de merecer tal presente, merecemos muitíssimo pouco das mãos de Deus. A graça é grande de acordo com a maneira de dar, ou na proporção da humilhação e custo do método e dos meios pelos quais é elaborada a maneira de termos o presente. Ele o deu para nós habitando entre nós; Ele o deu a nós encarnado, ou em nossa natureza; Ele o deu a nós em nossa natureza, nas enfermidades semelhantes que temos em nosso estado decaído, e que nos acompanham e são causadas pela corrupção pecaminosa de nossa natureza. Ele o deu a nós em um estado inferior e afligido; e não apenas isso, mas nos deu imolado, para que Ele fosse um banquete para nossa alma.

A graça de Deus em conceder esse presente é gratuita ao extremo. Deus não tinha obrigação de concedê-la; Ele poderia ter rejeitado o homem caído, como fez com os anjos caídos. Nunca fizemos nada para merecê-la. Ela foi dada enquanto ainda éramos inimigos e antes de nos arrependermos. Foi dada pelo amor de Deus, que não viu excelência em nós para atraí-la; e não havia expectativa de sermos recompensados por ela.

E é por pura graça que os benefícios de Cristo são concedidos a essas e àquelas pessoas em particular. Os que são chamados e santificados devem atribuir esse fato apenas à pura vontade da bondade de Deus, pela qual são distinguidos. Deus é soberano e tem misericórdia de quem terá misericórdia e endurecerá quem Ele quiser endurecer.

O homem agora tem uma dependência maior da graça de Deus do que tinha antes da queda. Ele depende da bondade de Deus muito mais do que antes: no passado, dependeu da bondade de Deus para a recompensa da perfeita obediência, pois Deus não era obrigado a prometer e conceder essa recompensa. No entanto, agora somos dependentes da graça de Deus por muito mais: precisamos de graça não apenas para termos a glória, mas para ficarmos livres do inferno e da ira eterna. Sob a primeira aliança, dependíamos da bondade de Deus para recebermos a recompensa da justiça; da mesma maneira acontece agora. Além disso, precisamos da graça e bondade soberana de Deus para receber tal justiça. No entanto, não apenas isso, mas também precisamos da sua graça para o perdão dos nossos pecados e para nos libertar da culpa e de seu infinito demérito.

Pelo fato de sermos mais dependentes da bondade de Deus agora do que sob a primeira aliança, também somos dependentes de uma bondade muito maior, mais gratuita e maravilhosa. Agora somos mais dependentes da vontade arbitrária e soberana de Deus. Estávamos em nosso primeiro estado dependentes de Deus para a santidade; Dele tínhamos nossa justiça original. Contudo, na época, a santidade não foi concedida de tal maneira pela vontade soberana como é agora. O homem foi criado santo e pareceu bem a Deus tornar santas todas as criaturas racionais que Ele criou; teria sido uma depreciação para a santidade da natureza de Deus se Ele tivesse feito uma criatura inteligente profana. Mas agora, quando um homem é santificado, é por mera e arbitrária graça; Deus pode sempre negar santidade à criatura caída se Ele quiser, sem depreciar nenhuma de suas perfeições.

Não somos apenas de fato mais dependentes da graça de Deus, mas nossa dependência é muito mais visível, porque nossa própria insuficiência e desamparo em nós mesmos é muito mais evidente em nosso estado caído e inacabado do que era antes de sermos pecadores ou miseráveis. Aparentemente, somos mais dependentes de Deus para a santidade, porque somos primeiro pecadores, totalmente maculados, e depois santos; assim, a produção do efeito é sensata, e sua derivação de Deus, mais óbvia. Se o homem fosse santo e se continuasse sempre assim, não seria tão perceptível que não tivesse necessariamente a santidade como uma qualificação inseparável da natureza humana. Portanto, ao que tudo indica, somos mais dependentes da graça pelo favor de Deus, pois somos primeiro, justamente, os objetos de seu descontentamento e depois somos recebidos em favor. Pelo visto, somos mais dependentes de Deus para a bem-aventurança, sendo primeiro miseráveis e depois bem-aventurados. Ao que tudo indica, ela é mais gratuita e sem mérito em nós, porque na verdade não temos nenhuma excelência a merecer, se é que existe alguma coisa como mérito na excelência da criatura. Não estamos apenas sem nenhuma verdadeira excelência, mas também cheios e totalmente contaminados com o que é infinitamente odioso. Todo o nosso bem provém mais evidentemente de Deus, porque primeiro estamos nus e completamente sem nenhum bem, e depois somos enriquecidos com todo o bem.

2. Recebemos todo o *poder* de Deus. A redenção do homem é frequentemente mencionada como uma obra de poder maravilhoso, assim como a graça. O grande poder de Deus se manifesta ao trazer um pecador de seu estado inferior, das profundezas do pecado e da

miséria, a um estado tão elevado de santidade e bem-aventurança.
"E qual a suprema grandeza do Seu poder para com os que cremos, segundo a eficácia da força do seu poder", (Ef 1,19).

Somos dependentes do poder de Deus em cada passo de nossa redenção. Somos dependentes do poder de Deus para nos converter e nos dar fé em Jesus Cristo e na nova natureza. É uma obra de criação: "Se alguém está em Cristo, é nova criatura" (2 Co 5,17); "Criados em Cristo Jesus" (Ef 2,10). A criatura caída não pode alcançar a verdadeira santidade, a não ser que seja criada novamente: "E vos revistais do novo homem, criado segundo Deus, em justiça e retidão procedentes da verdade", (Ef 4,24). É uma ressurreição dentre os mortos: "No qual igualmente fostes ressuscitados mediante a fé no poder de Deus que o ressuscitou dentre os mortos", (Cl 2,12). Sim, é uma obra de poder mais glorioso do que a mera criação, ou de ressuscitar um corpo morto, à medida que o efeito alcançado é maior e de maior excelência. Esse ser santo e bem-aventurado, bem como a vida espiritual alcançada na obra de conversão são muito maiores e mais gloriosos do que o mero ser e a vida. O estado do qual é feita a mudança, de tal morte no pecado, e de total corrupção da natureza, e de profunda miséria, é muito mais distante do estado atingido do que a mera morte ou insignificância.

É pelo poder de Deus também que somos preservados em um estado de graça: "Que sois guardados pelo poder de Deus, mediante a fé, para a salvação", (1 Pe 1,5). Como a graça é primeiramente de Deus, assim é continuamente dele, e é mantida por ele, assim como a luz na atmosfera permanece o dia inteiro a partir do Sol, tanto na aurora quanto no decorrer do dia.

Os homens dependem do poder de Deus para todo exercício da graça, para realizarem a obra da graça no coração, subjugarem o pecado e a corrupção, crescerem nos princípios sagrados, serem capazes de produzir frutos em boas obras e, finalmente, levarem a graça à perfeição, tornando a alma completamente à semelhança gloriosa de Cristo e preenchendo-a com uma alegria e bem-aventurança satisfatórias, a fim de elevar o corpo à vida e a um estado tão perfeito que seja adequado como morada e receptáculo para uma alma tão aperfeiçoada e abençoada. Esses são os efeitos mais gloriosos do poder de Deus que são vistos na série de atos Dele em relação às criaturas.

O homem dependia do poder de Deus em seu primeiro estado, mas agora é mais dependente de seu poder; ele precisa do poder de Deus para fazer mais coisas por ele e depende de um exercício mais maravilhoso de seu poder. Foi um efeito do poder de Deus tornar o homem santo no início; mas é mais perceptível agora, porque há muita oposição e dificuldade no caminho. É um efeito mais glorioso do poder tornar santo aquele que era tão depravado e que estava sob o domínio do pecado do que conferir santidade àquilo que antes não tinha nada em contrário. É uma obra de poder gloriosa resgatar uma alma das mãos do diabo e dos poderes das trevas e trazê-la para um estado de salvação do que conferir santidade àquilo em que não havia predisposição ou oposição. "Quando o valente, bem-armado, guarda a sua própria casa, ficam em segurança todos os seus bens. Sobrevindo, porém, um mais valente do que ele, vence-o, tira-lhe a armadura em que confiava e lhe divide os depojos", (Lc 11,21-22). Portanto, é uma obra de poder mais glorioso sustentar uma alma em um estado de graça e santidade, levando-a até que seja trazida à glória, quando ainda há muito pecado resistindo no coração, e Satanás com todo o seu poder de oposição, do que teria sido impedir o homem de cair a princípio, quando Satanás não tinha nada com o homem.

Assim, mostramos como os redimidos são dependentes de Deus para todo o seu bem, pois recebem tudo *Dele*.

Em segundo lugar, eles também dependem de Deus para tudo, pois recebem tudo *por meio* Dele. É Deus que é o meio disso, assim como é o autor e a fonte. Tudo o que temos, sabedoria e perdão do pecado, livramento do inferno, aceitação no favor de Deus, graça e santidade, verdadeiro consolo e bem-aventurança, vida e glória eternas, recebemos de Deus por um Mediador; e esse Mediador é Deus, Mediador de quem temos absoluta dependência, pois é *por meio* Dele que recebemos tudo. Portanto, aqui está outra maneira pela qual temos nossa dependência de Deus para todo o bem. Deus não apenas nos dá o Mediador, aceitando sua mediação, e de Seu poder e graça concede as coisas compradas pelo Mediador, mas também Ele é o Mediador.

Nossas bênçãos são o que temos por compra; e a compra é feita por Deus, as bênçãos são compradas Dele, e Deus dá o comprador; e não apenas isso, mas Deus é o comprador. Sim, Deus é comprador e o preço; pois Cristo, que é Deus, comprou essas bênçãos para nós, oferecendo a si mesmo como o preço de nossa salvação. Ele comprou a vida eterna pelo sacrifício de si próprio: "A si mesmo se ofereceu", (Hb 7,27) e "Se manifestou uma vez por todas, para aniquilar, pelo sacrifício de si mesmo, o pecado", (Hb 9,26). De fato, foi a natureza humana que foi oferecida em sacrifício, mas era a mesma pessoa com o divino e, portanto, era um preço infinito: foi avaliado como se Deus tivesse sido oferecido em sacrifício.

Portanto, como temos nosso bem por meio de Deus, temos uma dependência Dele em um aspecto que o homem em seu primeiro estado não tinha. Naquela situação, o homem deveria ter vida eterna por meio de sua própria justiça, de modo que tivesse parcialmente uma dependência do que havia em si mesmo, pois temos uma dependência daquilo por meio do qual temos por nosso próprio bem, assim como daquilo que temos. Embora a justiça da qual o homem dependia provinha de fato de Deus, ainda assim era sua, era inerente a ele, de modo que sua dependência não era tão imediata em Deus. Mas agora a justiça da qual dependemos não está em nós mesmos, mas em Deus. Somos salvos pela justiça de Cristo: Ele é *feito justiça para nós*, sendo assim profetizado em (Jr 23,6), sob o nome de "Senhor, Justiça Nossa". Na medida em que a justiça pela qual somos justificados é a justiça de Cristo, é a justiça de Deus: "Para que, Nele, fôssemos feitos justiça de Deus", (2 Co 5,21).

Assim, na redenção, não recebemos apenas todas as coisas de Deus, mas por e por meio Dele: "Todavia, para nós há um só Deus, o Pai, de quem são todas as coisas e para quem existimos; e um só Senhor, Jesus Cristo, pelo qual são todas as coisas, e nós também, por Ele", (1 Co 8,6)[16].

Terceiro, os remidos têm todo o seu bem *em* Deus. Nós não apenas o temos Dele e por meio Dele, mas o bem consiste Nele; Ele é todo o nosso bem.

O bem dos remidos é objetivo ou inerente. Por seu bem objetivo quero dizer esse objeto intrínseco, em cuja posse e gozo eles são felizes. O seu bem inerente é a excelência ou o prazer que está na própria alma, em relação aos quais os redimidos têm todo o seu bem em Deus, ou, o que é a mesma coisa, o próprio Deus é todo o seu bem.

1. Os redimidos têm todo o seu bem *objetivo* em Deus. O próprio Deus é o grande bem de que tomam posse e que os fortalece pela redenção. Ele é o bem maior e a soma de todo bem que Cristo comprou. Deus é a herança dos santos; Ele é a porção de suas almas. Deus é sua riqueza e seu tesouro, seu alimento, vida, morada, ornamento e diadema, e eterna honra e glória. Eles não têm ninguém no céu além de Deus; Ele é o grande bem pelo qual os redimidos são recebidos na morte e pelo qual devem ressuscitar no fim dos dias. O Senhor Deus, Ele é a luz da Jerusalém celestial e é o "rio da água da vida" que corre, e "a árvore da vida que cresce no meio do paraíso de Deus". As gloriosas excelências e a beleza de Deus serão o que sempre alegrará a mente dos santos, e o amor de Deus será o seu banquete eterno. Os redimidos de fato se alegrarão por outras coisas; apreciarão os anjos e desfrutarão uns dos outros; mas aquilo em que eles se alegrarão nos anjos, ou entre si, ou em qualquer outra coisa que lhes dê prazer e bem-aventurança será o que será visto por Deus neles.

2. Os redimidos têm todo o seu bem inerente em Deus. O bem inerente é duplo; é excelência ou prazer. Esses redimidos não apenas derivam

---

[16] O texto original possui erroneamente a referência 1 Coríntios 8.21. Outras ocorrências também foram corrigidas. (N.T.)

de Deus, como causados por Ele, mas estão contidos Nele. Eles têm excelência espiritual e alegria por um tipo de participação de Deus; são aperfeiçoados por uma comunicação da excelência Dele divina. Deus coloca sua própria beleza, ou seja, sua bela semelhança, sobre suas almas. Eles são feitos participantes da natureza divina, ou da imagem moral de Deus (2 Pe 1,4). Eles são santos por serem feitos participantes da santidade de Deus (Hb 12,10). Os santos são belos e abençoados por uma comunicação da santidade e alegria de Deus, como a Lua e os planetas são iluminados pela luz do sol. Os santos têm alegria e prazer espirituais por uma espécie de efusão de Deus na alma. Nessas coisas, os redimidos têm comunhão com Deus, isto é, participam com Ele e Dele.

Os santos têm tanto excelência espiritual quanto bênção pelo dom do Espírito Santo, ou Espírito de Deus, e sua morada neles. Elas não são causadas apenas pelo Espírito Santo, mas estão no Espírito Santo como princípio. O Espírito Santo, tornando-se um habitante, é um princípio vital na alma. Ele, agindo dentro da alma e sobre ela, torna-se uma fonte de verdadeira santidade e alegria, como uma fonte de água, pelo esforço e difusão de si mesmo: "Aquele, porém, que beber da água que Eu lhe der nunca mais terá sede; pelo contrário, a água que Eu lhe der será nele uma fonte a jorrar para a vida eterna", (Jo 4,14), em comparação com: "Quem crer em Mim, como diz a Escritura, do seu interior fluirão rios de água viva. Isto Ele disse com respeito ao Espírito que haviam de receber os que Nele crescem", (Jo 7,38-39). A soma que Cristo comprou para nós é a fonte de água mencionada no primeiro desses trechos e os rios de água viva mencionados no último. A soma das bênçãos que os redimidos receberão no céu é aquele rio de água da vida que procede do trono de Deus e do Cordeiro, Ap 22,1, o que sem dúvida significa o mesmo que os rios de água viva, explicou João 7,38-39. Nisso consiste a plenitude do bem que os santos recebem por Cristo. É participando do Espírito Santo que eles têm comunhão com Cristo em sua plenitude.

Deus lhes deu o Espírito não sob medida, e eles os receberam completamente, graça por graça. Essa é a soma da herança dos santos; e assim diz-se que o pouco do Espírito Santo que os crentes têm neste mundo é sua herança mais séria, (2 Co 5,5). E em: "Que também nos selou e nos deu o penhor do Espírito em nosso coração", (2 Co 1,22). E em: "Ora, foi o próprio Deus quem nos preparou para isto, outorgando-nos o penhor do Espírito". Em "Fostes selados com o Santo Espírito da promessa; o qual é o penhor da nossa herança, até a redenção da sua propriedade", (Ef 1,13-14).

O Espírito Santo e as coisas boas são mencionados nas Escrituras como o mesmo, como se o Espírito de Deus comunicado à alma compreendesse todas as coisas boas: "Quanto mais vosso Pai, que está nos céus, dará boas coisas aos que Lhe pedirem?", (Mt 7,11). Em "Quanto mais o Pai celestial dará o Espírito Santo àqueles que Lho pedirem?", (Lc 11,13). Essa é a soma das bênçãos que Cristo morreu para obter e que são o objeto das promessas do evangelho: "Fazendo-se Ele próprio maldição em nosso lugar, a fim de que recebêssemos, pela fé, o Espírito prometido", (Gl 3,13-14). O Espírito de Deus é a grande promessa do Pai: "Eis que envio sobre vós a promessa de meu Pai", (Lc 24,49). O Espírito de Deus, portanto, é chamado "o Santo Espírito da promessa", (Ef 1,13). Essa promessa Cristo recebeu e foi entregue em suas mãos, assim que terminou a obra de nossa redenção, para conceder a todos que havia redimido "Exaltado, pois, à destra de Deus, tendo recebido do Pai a promessa do Espírito Santo, derramou isto que vedes e ouvis", (At 2,33). De modo que toda a santidade e bem-aventurança dos remidos está *em* Deus. Está nas comunicações, na habitação e na atuação do Espírito de Deus. Santidade e bem-aventurança estão nos frutos, aqui e no futuro, porque Deus habita neles, e eles em Deus.

Assim é o Deus que nos deu o Redentor, e é Dele que nosso bem é comprado; assim é Deus que é o Redentor e o preço; e é Deus também que é o bem comprado. De modo que tudo o que temos é *de* Deus, *por meio Dele e Nele*, Rm 11:36: "Porque Dele, e por meio Dele, e para

Ele são todas as coisas. A Ele, pois, a glória eternamente", (Rm 11,36). O mesmo termo no grego que aqui é traduzido por *para Ele* é traduzido por *Nele*, em 1 Coríntios 1,5.

II. Deus é glorificado na obra da redenção por este meio, ou seja, por haver uma dependência tão grande e universal dos redimidos a ele.

1. O homem tem tanto maior oportunidade e obrigação de considerar e reconhecer as perfeições e toda a suficiência de Deus. Quanto maior a dependência das perfeições de Deus, e maior a preocupação que Ele tem com elas, tanto maior a ocasião em que as observa. Quanto maior a preocupação que alguém possui e a dependência com relação ao poder e à graça de Deus, tanto maior a oportunidade de perceber esse poder e graça. Quanto maior e mais imediata for a dependência da santidade divina, tanto maior a oportunidade de perceber e reconhecer isso. Quanto maior e mais absoluta for nossa dependência das perfeições divinas, como pertencentes às várias pessoas da Trindade, tanto maior é a oportunidade em que devemos observar e possuir a glória divina de cada uma delas. Aquilo com o que estamos mais preocupados é certamente o que mais atrapalha nossa observação e atenção; e esse tipo de preocupação com qualquer coisa, a saber, a dependência, tende especialmente a aumentar e obrigar a atenção e a observação. Aquelas coisas das quais não dependemos muito são fáceis de negligenciar; mas mal podemos fazer outra coisa senão cuidar daquilo de que temos uma grande dependência. Em razão de nossa dependência tão grande de Deus e de suas perfeições, em muitos aspectos, Ele e sua glória são os mais diretamente estabelecidos em nossa visão, de maneira que sempre para eles dirigimos o nosso olhar.

Prestamos maior atenção à toda suficiência de Deus, quando toda a nossa suficiência é, assim, todo caminho para Ele. Nós o contemplamos mais como um bem infinito e como a fonte de todo bem. Essa dependência de Deus demonstra toda a suficiência de Deus. Quanto mais a dependência da criatura estiver em Deus, tanto maior o vazio da criatura em si se demonstra; e, quanto maior o vazio da criatura, maior a plenitude do Ser que a provê. O fato de termos tudo *de* Deus mostra a plenitude de Seu poder e graça: o fato de termos tudo *por meio* Dele mostra a plenitude de seu mérito e dignidade; e o fato de termos tudo *Nele* demonstra sua plenitude de beleza, amor e bem-aventurança.

Os redimidos, por causa da grandeza de sua dependência de Deus, não têm apenas maior oportunidade, mas a obrigação de contemplar e reconhecer a glória e a plenitude de Deus. Quão irracionais e ingratos seríamos se não reconhecêssemos a suficiência e a glória das quais absoluta, direta e universalmente dependemos!

2. Aqui é demonstrado o quão grande a glória de Deus é quando considerada comparativamente, ou em comparação com a da criatura. Pelo fato de a criatura ser total e universalmente dependente de Deus, parece que a criatura não é nada e que Deus é tudo. Nisso se evidencia que Deus está infinitamente acima de nós; que a força, a sabedoria e a santidade de Deus são infinitamente maiores que as nossas. Por maior e mais glorioso que a criatura compreenda que Deus seja, ainda assim, se ela não sentir a diferença entre Deus e ela, para ver que a glória de Deus é grandiosa comparada à sua, ela não estará disposta a dar a Deus a devida glória ao seu nome. Se a criatura, em qualquer aspecto, se coloca no mesmo nível de Deus, ou se exalta a qualquer competição com Ele, ainda que possa compreender que grande honra e profundo respeito podem ser dados a Deus por aqueles que são mais inferiores, estando a uma distância maior, ela não terá tanta consciência de sua dívida para com Ele. Quanto mais os homens se exaltam, menos certamente estarão dispostos a exaltar a Deus. Com certeza, algo que Deus almeja na disposição das coisas no que diz respeito à redenção (se permitirmos que as Escrituras sejam uma revelação da mente de Deus) é que Deus apareça pleno e o homem em si mesmo, vazio, que Deus apareça por completo, e o homem, nada. O desígnio declarado de Deus é que outros não "se gloriem em sua

presença"; o que implica que esse é o seu objetivo de promover sua própria glória comparativa. Quanto mais o homem se "gloria na presença de Deus", tanto menos a glória é atribuída a Deus.

3. Por ser assim ordenada, para que a criatura tenha uma dependência tão absoluta e universal de Deus, é feita uma provisão para que Deus tenha nossas almas e seja o objeto de nosso respeito indiviso. Se tivéssemos nossa dependência dividida entre Deus e outra coisa, o respeito do homem seria dividido com aquelas coisas diferentes das quais dependia. Assim seria se dependêssemos de Deus apenas para uma parte do nosso bem, e de nós mesmos ou de algum outro ser para outra parte; ou se tivéssemos o nosso bem somente de Deus, e *por meio* de outro que não fosse Deus, e *em* outra coisa distinta de ambos, nossos corações estariam divididos entre o bem em si e aquele de quem e por quem o recebemos. Mas agora não há ocasião para isso, sendo Deus não apenas Aquele a partir do qual ou de quem temos tudo de bom, mas também por meio do qual e daquele que é esse bem em si, que temos Dele e por meio Dele. A fim de que, o que quer que exista para atrair a nossa consideração, a inclinação ainda estará diretamente voltada a Deus tudo se unindo a Ele como o centro.

APLICAÇÃO

1. Podemos observar aqui a maravilhosa sabedoria de Deus na obra da redenção. Deus fez o vazio e a miséria do homem, seu estado inferior, perdido e arruinado, no qual ele afundou na queda, uma oportunidade do maior avanço de sua própria glória. Como de outras maneiras, e particularmente nessa, agora existe uma dependência muito mais universal e evidente do homem em relação a Deus. Embora Deus tenha prazer em tirar o homem daquele abismo sombrio de pecado e

angústia no qual havia caído, e em extraordinariamente exaltá-lo em excelência e honra, e em um alto tom de glória e bem-aventurança, a criatura não tem nada, em nenhum sentido, de glória; toda a glória evidentemente pertence a Deus, tudo depende de uma simples, mais absoluta e divina dependência do Pai, Filho e Espírito Santo.

E cada pessoa da Trindade é igualmente glorificada nesse trabalho. Existe uma dependência absoluta da criatura de todos para todos: tudo é *do* Pai, tudo *por meio* do Filho, e tudo *no* Espírito Santo. Assim, Deus aparece na obra da redenção como *tudo em tudo*. É adequado que aquele que é, e não existe mais, deva ser o Alfa e o Ômega, o primeiro e o último, o todo e o único nessa obra.

2. Portanto, as doutrinas e esquemas de divindade que, de qualquer forma, são opostos a essa dependência absoluta e universal de Deus, depreciam a glória de Deus e frustram o desígnio do artifício para nossa redenção. Os esquemas que colocam a criatura no lugar de Deus, em qualquer um dos aspectos mencionados, que exaltam o homem no lugar do Pai, Filho ou Espírito Santo, em qualquer coisa referente à nossa redenção; que, por mais que possam permitir uma dependência dos redimidos em Deus, ainda negam dependência que é tão absoluta e universal; que possuem toda uma dependência de Deus para algumas coisas, mas não para outras; aqueles que confiam em Deus para o dom e a aceitação de um Redentor, mas negam uma dependência tão absoluta para a obtenção de um interesse no Redentor; que uma dependência absoluta do Pai por dar Seu Filho, e do Filho por realizar a redenção, mas não uma dependência tão completa do Espírito Santo para a conversão e um ser em Cristo, obtendo, assim, obter um título para seus benefícios; que possuem uma dependência de Deus pelos meios da graça, mas não absolutamente para o benefício e o sucesso desses meios; que possuem uma dependência parcial do poder de Deus para obter e exercer a santidade, mas não uma mera dependência da graça arbitrária e

soberana de Deus; que possuem uma dependência da graça de Deus para receber seus favores, até o ponto em que não possuam mérito próprio, mas não como se fossem atraídos ou movidos com alguma excelência; que possuem uma dependência parcial de Cristo, por ser Ele o meio pelo qual temos vida, tendo comprado novos termos de vida, mas ainda sustentam que a justiça pela qual temos vida é inerente a nós mesmos, como era no primeiro pacto; e de outra forma, qualquer de esquema que seja inconsistente com toda a nossa dependência de Deus para tudo, e de cada uma dessas maneiras, de ter tudo Dele, por meio Dele e Nele, é incompatível com o desígnio e teor do evangelho, e o despoja daquilo que Deus considera seu brilho e sua glória.

3. Portanto, podemos aprender uma razão pela qual a fé é aquela pela qual passamos a ter interesse nessa redenção; pois estão incluídos na natureza da fé uma sensatez e um reconhecimento dessa dependência absoluta de Deus nesse caso. É muito apropriado que isso seja necessário para todos, a fim de que tenham o benefício dessa redenção, que sejam sensatos e reconheçam a dependência de Deus para tal. Isso significa que Deus planejou glorificar-se na redenção, e é adequado que Deus tenha pelo menos essa glória daqueles que são os sujeitos dessa redenção e têm o benefício dela.

A fé é uma sensatez do que é real na obra da redenção. Como realmente dependemos totalmente de Deus, também a alma que crê depende inteiramente de Deus para toda a salvação, em seu próprio sentido e ação. A fé derruba os homens e exalta a Deus, atribuindo toda a glória da redenção a Deus somente. É necessário, a fim de salvar a fé, que o homem seja esvaziado de si mesmo, que ele saiba que é "deplorável, miserável, pobre, cego e nu". A humildade é um grande ingrediente da verdadeira fé; quem recebe verdadeiramente a redenção a recebe como uma criança pequena: "Quem não receber o reino de Deus como uma criança de maneira nenhuma entrará nele", (Mc 10,15). É o prazer de uma alma crente exaltar somente a Deus; essa é a linguagem dela: "Não a nós, Senhor, não a nós, mas ao teu nome dá glória", (Sl 115,1).

4. Sejamos exortados a exaltar somente a Deus e atribuir a Ele toda a glória da redenção. Esforcemo-nos para obter e aumentar a sensatez da nossa grande dependência de Deus, ter nossos olhos somente Nele, para mortificar uma disposição autodependente e presunçosa. Naturalmente, o homem é extremamente propenso a se exaltar e depender de seu próprio poder ou bondade, como se ele fosse aquele de quem deveria esperar a bem-aventurança ter estima pelos prazeres alheios a Deus e ao seu Espírito, como aqueles em que a bem-aventurança é encontrada.

Essa doutrina deve nos ensinar a exaltar somente a Deus, tanto pela confiança e dependência, como também pelo louvor. *Aquele que se gloria, glorie-se no Senhor.* Qualquer homem que espera que seja convertido e santificado, que sua mente seja dotada de verdadeira excelência e beleza espiritual, que seus pecados sejam perdoados, que tenha recebido o favor de Deus e exaltado à honra e bênção de ser seu filho e herdeiro da vida eterna dê a Deus toda a glória, o que somente o faz diferir dos piores homens deste mundo, ou dos mais miseráveis dos condenados no inferno. Qualquer homem que tenha muito consolo e forte esperança de vida eterna, que a sua esperança não o levante, mas disponha-o ainda mais para se apoiar e refletir sobre sua própria indignidade excessiva de tal favor, e para exaltar somente a Deus. Se alguém é eminente em santidade e abundante em boas obras, não tome nada da glória disso para si mesmo, mas atribua a ele: "Pois somos feitura Dele, criados em Cristo Jesus para boas obras"[17].

---

17 Efésios 2.10. (N.T.)

UMA LUZ DIVINA E SOBRENATURAL, IMEDIATAMENTE IMPARTADA NA ALMA PELO ESPÍRITO DE DEUS, MOSTRADO SER AMBAS UMA DOUTRINA RACIONAL DA ESCRITURA

> "Então, Jesus lhe afirmou: 'Bem-aventurado és, Simão Barjonas, porque não foi carne e sangue que to revelaram, mas meu Pai, que está nos céus'", (Mt 16,17).

Cristo diz essas palavras a Pedro na ocasião em que professa sua fé Nele como o Filho de Deus. Nosso Senhor estava perguntando a seus discípulos quem os homens diziam que Ele era; não que precisasse ser informado, mas apenas para apresentar e dar razão ao que se segue. Eles responderam que alguns disseram que ele era João Batista, alguns Elias e outros Jeremias, ou um dos profetas. Quando relataram quem os outros diziam que Ele era, Cristo pergunta a eles quem eles disseram que Ele era. Simão Pedro, a quem achamos sempre zeloso e à frente, foi o primeiro a responder, prontamente replicando à pergunta: *Tu és Cristo, o Filho do Deus vivo*[18].

Nessa ocasião, Cristo fala *para* ele e *dele* no texto, no qual podemos observar:

1. Que Pedro é declarado abençoado por esse motivo. *Bem-aventurado és*: "Tu és um homem feliz, que não ignoras isto, que eu sou Cristo, o Filho do Deus vivo. Tu és distintamente feliz. Outros estão cegos e têm percepções sombrias e iludidas, como vós relatastes agora, alguns pensando que Eu sou Elias, e outros que Eu sou Jeremias, e uma coisa e outra; mas nenhum deles pensando o que é correto, todos estão enganados. Feliz és tu, que és tão distinto a ponto de conhecer a verdade nessa questão".
2. A evidência disso foi sua bem-aventurança declarada, a saber, que Deus, e somente Ele, tinha *revelado isso* para Pedro. Essa é uma prova de que ele foi *abençoado*.

Primeiro, o que mostra que ele era particularmente favorecido por Deus acima dos outros é que Cristo disse: "Quão altamente favorecido tu és, que outros que são sábios e grandes homens, os escribas, fariseus e governantes, e a nação em geral, são deixados na escuridão, para seguir suas próprias percepções equivocadas; e que sejas escolhido, por assim dizer, pelo nome, que meu Pai Celestial ponha assim seu amor sobre ti, Simão Barjonas. Isso demonstra que tu és abençoado por seres o objeto do amor distintivo de Deus".

Segundo, isso também evidencia sua bem-aventurança, pois mostra que esse conhecimento está acima de qualquer coisa que carne e sangue

---

[18] Mateus 16.16. (N.T.)

possam revelar. "Este é o conhecimento que apenas meu Pai, que está no céu, pode dar: é elevado e excelente demais para ser comunicado pelos mesmos meios que outros conhecimentos são. Tu és abençoado por saberes o que somente Deus pode te ensinar."

O original desse conhecimento é aqui declarado tanto negativa quanto positivamente. Positivamente, por Deus aqui ser declarado seu autor. Negativamente, como é declarado, que carne e sangue não o haviam revelado. Deus é o autor de todo conhecimento e entendimento. qualquer que seja. Ele é o autor do conhecimento obtido pelo aprendizado humano; Ele é o autor de toda prudência moral e do conhecimento e da habilidade que os homens têm em seus assuntos seculares. Assim, é dito, de todos em Israel que eram sábios e hábeis em fazer vestes, é dito que Deus os havia enchido com o espírito de sabedoria, Êxodo 28,3.

Deus é o autor de tal conhecimento; contudo, não é carne e sangue que o revelam. Os homens mortais são capazes de transmitir o conhecimento das artes e ciências humanas e a habilidade nos assuntos temporais. Deus é o autor de tal conhecimento por esses meios; carne e sangue são usados por Deus como a causa intermediária ou segunda; Ele o transmite pelo poder e influência dos meios naturais. No entanto, esse conhecimento espiritual mencionado no texto é de autoria de Deus, de mais ninguém: Ele revela, e carne e sangue não o revelam. Ele transmite esse conhecimento diretamente, não fazendo uso de nenhuma causa natural intermediária como faz em outros conhecimentos.

O que havia ocorrido no discurso anterior naturalmente levou Cristo a observar isso, porque os discípulos estavam dizendo que os outros não o conheciam, mas que geralmente estavam enganados a respeito Dele, divididos e confusos em suas opiniões sobre Ele. No entanto, Pedro havia declarado com segurança sua fé de que Ele era o Filho de Deus. Ora, é natural notar como não foram carne e sangue que lhe revelaram, mas Deus; pois, se esse conhecimento dependesse de causas ou meios naturais, como é possível que eles, um grupo de pescadores pobres, homens incultos e pessoas de pouca educação, tenham atingido o conhecimento da verdade, enquanto os escribas e fariseus, homens de vantagens muito mais elevadas e de mais conhecimento e sagacidade em outros assuntos, permaneceram na ignorância? Isso se devia apenas à graciosa influência distintiva e à revelação do Espírito de Deus. Portanto, o que eu diria sobre meu discurso atual influenciado por essas palavras é isso.

DOUTRINA

a saber, *Que existe uma Luz Espiritual e Divina,*
diretamente comunicada à alma por Deus,
de natureza diferente da que é obtida por meios naturais.

Sobre esse assunto, neste momento, mostro:
I. O que é essa luz divina.
II. Como ela é dada diretamente por Deus, e não obtida por meios naturais.
III. A verdade da doutrina.
E concluo com um pequeno desenvolvimento.
I. Revelando o que é essa luz espiritual e divina. Para isso, mostro, primeiramente, em algumas coisas, o que ela *não é*. Aqui está.
1. *Aquelas convicções de que os homens naturais podem ter de seus pecados e misérias* não são *essa* luz espiritual e divina. Os homens em uma condição natural podem ter convicções da culpa que está sobre eles, da ira de Deus e do perigo da vingança divina. Tais convicções são da luz ou sensatez da verdade. O fato de alguns pecadores terem uma convicção maior de sua culpa e miséria do que outros é porque alguns têm mais luz ou mais apreensão da verdade do que outros. E essa luz e convicção podem ser do Espírito de Deus; o Espírito convence os homens do pecado. No entanto, a natureza está muito

mais preocupada com isso do que com a comunicação daquela luz espiritual e divina de que se fala na doutrina; é próprio do Espírito de Deus apenas assistir princípios naturais, e não infundir novos princípios. A graça comum difere da especial, na medida em que influencia apenas pela assistência da natureza, não concedendo graça ou conferindo algo acima da natureza. A luz que é obtida é totalmente natural, ou de nenhum tipo superior ao que a mera natureza alcança, embora se obtenha mais desse tipo do que seria conseguido se os homens fossem deixados inteiramente por sua conta; ou, em outras palavras, a graça comum apenas ajuda as faculdades da alma a fazerem mais plenamente o que fazem por natureza, como consciência ou razão natural, por mera natureza, tornando um homem passível de culpa, acusando-o e condenando-o quando ele errar. A consciência é um princípio natural para os homens; e o trabalho que realiza naturalmente, ou por si mesma, é apreender o certo e errado e sugerir à mente a relação que existe entre o certo e o errado e uma retribuição. O Espírito de Deus, naquelas convicções que os homens não regenerados às vezes têm, ajuda a consciência a fazer esse trabalho em um grau mais elevado do que faria se fossem deixados a si mesmos; Ele a ajuda contra as coisas que tendem a entorpecê-la, obstruindo seu exercício; mas na obra renovadora e santificadora do Espírito Santo, essas coisas são trabalhadas na alma, estando acima da natureza, não havendo nada semelhante na alma em si. Elas são feitas para existirem habitualmente na alma, de acordo com uma constituição ou lei declarada que estabelece tal fundamento para exercícios em um curso contínuo, sendo chamada de um princípio da natureza. Não apenas os princípios remanescentes são ajudados a realizarem seu trabalho de maneira mais livre e completa, mas também aqueles que foram totalmente destruídos pela queda são restaurados. A mente a partir de então exerce habitualmente aqueles atos que o domínio do pecado deixara totalmente abandonados, como um corpo morto fica sem os atos vitais.

O Espírito de Deus age de uma maneira muito diferente em um caso do que faz no outro. Ele pode realmente agir sobre a mente de um homem natural, mas age na mente de um santo como um princípio vital interior. Atua na mente de uma pessoa não regenerada como um agente extrínseco e ocasional, pois, ao fazer isso, não se une a ela. Apesar de todas as influências a que possam estar sujeitas, ainda são sensuais, sem o Espírito, Judas 19. Mas ele se une à mente de um santo, leva-o para o templo, atua nele e o influencia como um novo princípio sobrenatural de vida e ação. Há esta diferença: o Espírito de Deus, ao agir na alma de um homem piedoso, atua e se comunica ali em sua própria natureza. A santidade é a natureza apropriada do Espírito de Deus. O Espírito Santo opera na mente dos piedosos, unindo-se a eles, vivendo neles e manifestando sua própria natureza no exercício de suas faculdades. O Espírito de Deus pode agir sobre uma criatura e, ainda assim, mesmo sem agir, se comunicar. O Espírito de Deus pode agir sobre criaturas inanimadas; como o Espírito se moveu sobre a face das águas no início da criação, assim o Espírito de Deus pode atuar sobre a mente dos homens de muitas maneiras e se comunicar, não mais do que quando age sobre uma criatura inanimada. Por exemplo, ele pode suscitar pensamentos neles, ajudando sua razão e compreensão naturais, ou auxiliando outros princípios naturais, e isso sem qualquer união com a alma, agindo, por assim dizer, como um objeto externo. Contudo, quando atua em suas sagradas influências e operações espirituais, faz isso de uma maneira peculiar de comunicação de si mesmo, de modo que o assunto seja denominado espiritual.
2. *Essa luz espiritual e divina não consiste em nenhuma impressão produzida na imaginação.* Não há impressão na mente, como se alguém visse alguma coisa com os olhos corporais. Não há imaginação ou ideia de luz ou glória externas, ou qualquer beleza de forma ou semblante, ou brilho visível ou luminosidade de qualquer objeto. A imaginação pode ser fortemente impressionada por essas coisas;

mas isso não é luz espiritual. De fato, quando a mente tem uma descoberta viva das coisas espirituais e é grandemente afetada pelo poder da luz divina, ela pode e provavelmente afetará muito a imaginação, a fim de que impressões de uma beleza ou brilho exteriores possam acompanhar essas descobertas espirituais. Mas a luz espiritual não é essa impressão na imaginação, e sim uma coisa extremamente diferente dela. Homens naturais podem ter impressões vívidas em sua imaginação. Não podemos determinar, a não ser o diabo, que se transforma em anjo de luz, podendo causar imaginação de uma beleza exterior ou glória visível, e de sons e discursos e outras coisas assim. Entretanto, esses fatos são de natureza vastamente inferior à luz espiritual.

3. *Essa luz espiritual não é a sugestão de novas verdades não contidas na palavra de Deus.* Essa sugestão de novas verdades ou doutrinas para a mente, independentemente de qualquer revelação antecedente dessas proposições, seja em palavras, seja em escritos, é inspiração, como os profetas e apóstolos tinham, e alguns entusiastas fingem ter. Mas essa luz espiritual da qual estou falando é bem diferente da inspiração; ela não revela nenhuma nova doutrina, não sugere nenhuma nova proposição para a mente, não ensina nenhuma coisa nova de Deus, de Cristo, ou de outro mundo não ensinada na Bíblia, mas apenas dá uma devida apreensão daquelas coisas que são ensinadas na Palavra de Deus.

4. *Nem toda visão impressionante que os homens têm das coisas da religião é essa luz espiritual e divina.* Os homens, por meros princípios da natureza, são capazes de ser afetados[19] por coisas que têm uma

---

19 O verbo "afetar" (*affect*) com suas diferenças formas e o substantivo "afeição" (*affection*) são centrais na teologia de Jonathan Edwards. Ele estava interessado em discernir manifestações genuinamente espirituais daquelas de origem profana e emocional. Edwards foi um dos principais pregadores durante o Primeiro Grande Despertamento, iniciado em 1730, nos Estados Unidos. Como os avivamentos passaram a ser mais frequentes, dúvidas quanto a suas causas foram levantadas. Edwards passou então a estudar como as pessoas se comportavam quando *afetadas* pelos avivamentos, identificando os sinais confiáveis e não confiáveis dos fenômenos. (N.T.)

relação especial com a religião, além de outras. Uma pessoa por mera natureza, por exemplo, pode ser afetada pela história de Jesus Cristo e pelos sofrimentos que Ele sofreu, bem como por qualquer outra história trágica: ela pode ser mais afetada pelo interesse que acredita que a humanidade tenha. Ela pode ser afetada por isso sem acreditar, assim como um homem pode ser afetado por aquilo que lê em um romance ou vê representado em uma peça de teatro. Ele pode ser afetado por uma descrição animada e eloquente de muitas coisas agradáveis que atendem ao estado dos abençoados no céu, assim como sua imaginação é entretida por uma descrição romântica da agradabilidade da terra das fadas, ou algo semelhante. Essa crença comum da verdade das coisas da religião que as pessoas podem ter por estudo ou por outros modos pode ajudar a transmitir o que as afetou. Lemos nas Escrituras sobre muitos que foram grandemente afetados por coisas de natureza religiosa[20], mas mesmo assim estão lá representados como totalmente desprovidos da graça, muitos deles homens perversos. Uma pessoa, portanto, pode ter visões impressionantes das coisas da religião e ainda assim ser muito carente de luz espiritual. Carne e sangue podem ser os autores disso; um homem pode dar a outro uma visão impressionante das coisas divinas por meio de nada mais que um auxílio comum, mas somente Deus pode prover uma revelação espiritual delas.

Mas continuo a mostrar,

Segundo, certamente, que essa luz espiritual e divina *é*.

Ela pode ser assim descrita: *um verdadeiro senso da excelência divina das coisas reveladas na Palavra de Deus e uma convicção da verdade e realidade que surge delas por essa razão.*

Essa luz espiritual consiste principalmente no primeiro ponto, a saber, um verdadeiro sentido e apreensão da excelência divina das coisas

---

[20] Para um estudo mais aprofundado sobre o tema, consulte a obra de Edwards *The Religious Affections* (1746), publicada em português com o título *Afeições Religiosas*. (N.T.)

reveladas na Palavra de Deus. Uma convicção espiritual e salvadora da verdade e realidade dessas coisas surge da visão de sua excelência e glória divinas; de modo que essa convicção de sua verdade é um efeito e consequência naturais dessa visão de sua glória divina, existe, portanto, nessa luz espiritual.

1. *Um verdadeiro senso da excelência divina e superlativa das coisas da religião*; um verdadeiro senso da excelência de Deus e de Jesus Cristo, da obra da redenção e dos caminhos e obras de Deus revelados no evangelho. Há uma glória divina e superlativa nessas coisas; uma excelência de natureza muito mais elevada e mais sublime do que em outras coisas; uma glória que as distingue grandemente de tudo o que é terreno e temporal. Aquele que é espiritualmente iluminado realmente apreende e vê, ou tem um senso disso. Ele não apenas acredita racionalmente que Deus é glorioso, mas tem um senso da glória de Deus em seu coração. Não existe apenas uma crença racional de que Deus é santo e que a santidade é uma coisa boa, mas há um senso da beleza da santidade de Deus. Não há apenas um julgamento especulativo de que Deus é gracioso, mas um senso de como Deus é amável por causa disso, ou um senso da beleza desse atributo divino.

Há um duplo entendimento ou conhecimento do bem que Deus tornou capaz a mente do homem. O primeiro, que é meramente especulativo ou imaginário, como quando uma pessoa apenas especulativamente julga que uma coisa qualquer é, de acordo com a humanidade, boa ou excelente, ou seja, aquela que é mais vantajosa em geral, havendo uma adequação entre ela e uma recompensa, e coisas do tipo. O outro é o que corresponde sentido do coração, como quando há um senso da beleza, amabilidade ou doçura de uma coisa, de modo que o coração sinta prazer e se deleite com a presença da sua ideia. No primeiro, é exercida apenas a faculdade especulativa ou o entendimento, estritamente assim chamado, ou como mencionado em distinção à vontade ou disposição da alma. Neste último, a vontade, inclinação, ou coração, são as questões principais.

Portanto, há uma diferença entre ter uma opinião de que Deus é santo e gracioso e ter um senso do encanto e da beleza dessa santidade e graça. Há uma diferença entre ter um julgamento racional de que o mel é doce e ter uma sensação de doçura. Um homem pode ter o primeiro não sabendo o gosto do mel, mas um homem não pode ter o último, a menos que tenha uma ideia do sabor do mel em sua mente. Assim, há uma diferença entre acreditar que uma pessoa é bonita e ter um senso de sua beleza. A primeira condição pode ser obtida por boatos, mas a última somente pelo semblante. Existe uma grande diferença entre o mero racional especulativo que julga qualquer coisa excelente e ter uma sensação de doçura e beleza. O primeiro estado jaz apenas na cabeça, apenas a especulação se refere a ele; mas o coração está preocupado com o último. Quando o coração é sensível à beleza e à simpatia de uma coisa, necessariamente sente prazer na percepção. Está implícito no fato de uma pessoa ser sinceramente tocada pela beleza de uma coisa que tal ideia é doce e agradável para sua alma, o que é muito diferente de ter uma opinião racional de que é excelente.

2. Surge desse senso de excelência divina das coisas contidas na Palavra de Deus *uma convicção da verdade e da realidade delas*, quer indireta, quer diretamente.

Primeiro, *indiretamente*, e de duas maneiras:

1. Conforme os *preconceitos que estão no coração* contra a verdade das coisas divinas *são removidos por esse meio*, para que a mente se torne suscetível à força devida dos argumentos racionais para sua verdade. A mente do homem está naturalmente cheia de preconceitos contra a verdade das coisas divinas, cheia de inimizade contra as doutrinas do evangelho, o que é uma desvantagem para os argumentos que provam sua verdade e os faz perderem a força sobre a mente. Mas, quando uma pessoa descobre para si a excelência divina das doutrinas cristãs, isso destrói a inimizade, remove esses preconceitos e santifica a razão, fazendo com que ela se abra à força dos argumentos a efeito diferente.

Daí o efeito diferente que os milagres de Cristo provocaram ao convencer os discípulos, e ao convencer os escribas e fariseus. Não que eles tivessem uma razão mais forte, ou que a tivessem melhorado sua razão; mas a razão dos discípulos foi santificada, e aqueles preconceitos cegos que os escribas e fariseus tinham foram removidos pelo sentido que tinham da excelência de Cristo e de sua doutrina.

2. Esse senso não apenas remove os obstáculos da razão, mas *certamente ajuda a razão*. Torna até as noções especulativas mais vivas. Ele atrai a atenção da mente, com mais firmeza e intensidade a esse tipo de objetos, o que faz com que exista uma visão mais clara dele, permitindo que suas relações mútuas sejam vistas com mais clareza, sendo mais notados. As próprias ideias que, de outra forma, são fracas e obscuras, são assim impressas com maior força, tem uma incidência de luz sobre elas, para que a mente possa julgá-las melhor; do mesmo modo como quem vê os objetos na face da terra, quando a luz do sol incide sobre eles, tem maior vantagem de discerni-los em suas verdadeiras formas e relações mútuas do que aquele que os vê sob a fraca luz das estrelas ou do crepúsculo.

A mente, sendo capaz de tocar a excelência dos objetos divinos, habita sobre eles com deleite, e os poderes da alma são mais despertados e estimulados ao se empregarem em sua contemplação, exercendo-se mais plenamente e com propósito muito maior. A beleza e a doçura dos objetos baseiam-se nas faculdades e desenvolvem seus exercícios, de modo que a própria razão tem vantagens muito maiores para seus exercícios adequados e livres e para atingir seu fim adequado, livre de trevas e ilusões. Mas,

Segundo, um verdadeiro senso da excelência divina das coisas da palavra de Deus convence mais *diretamente* e *imediatamente* sobre a verdade delas, e isso porque a excelência dessas coisas é muito superlativa. Existe uma beleza nelas que é tão sagrada e divina que as distingue sobremaneira e evidentemente das coisas meramente humanas, ou das quais os homens são os inventores e autores. Uma glória que é tão elevada e grandiosa que, quando claramente vista, exige assentimento à sua divindade e realidade. Quando há uma revelação real e viva dessa beleza e excelência, ela não permitirá que ninguém pense que se trata de um trabalho humano ou o fruto da invenção dos homens. Essa evidência de que aqueles que são espiritualmente iluminados têm a verdade das coisas da religião é uma espécie de evidência intuitiva e imediata. Eles acreditam que as doutrinas da Palavra de Deus são divinas, porque veem divindade nelas, isto é, veem uma glória divina, transcendente e evidentemente distinta nelas, uma glória que, se claramente vista, não deixa espaço para duvidar de serem de Deus e não dos homens.

Uma convicção da verdade da religião como essa, emergindo, dessa maneira, de um senso da excelência divina delas, é a verdadeira convicção espiritual que existe na fé salvadora. Esse aspecto original é aquele pelo qual ela é mais essencialmente distinguida daquele consentimento comum de que os homens não regenerados são capazes.

II. Passo agora à segunda coisa proposta, a saber, para mostrar *como essa luz é diretamente dada por Deus* e não obtida por meios naturais. Assim,

1. *Não se pretende dizer que as faculdades naturais não sejam utilizadas nela.* As faculdades naturais são o sujeito dessa luz: e são o sujeito no sentido de que não são meramente passivas, mas ativas nela; os atos e exercícios da compreensão do homem estão envolvidos e são utilizados nela. Deus, ao deixar entrar essa luz na alma, lida com o homem de acordo com sua natureza, ou como uma criatura racional, fazendo uso de suas faculdades humanas. No entanto, essa luz não vem menos diretamente de Deus para tal propósito; embora as faculdades sejam utilizadas, ela é o sujeito e não a causa. A atuação das faculdades nela não é a causa, mas está implícita na coisa em si (à luz que é transmitida) ou é a consequência dela, tal como o uso que fazemos de nossos olhos ao contemplar vários objetos, ou quando o sol nasce, não sendo ele a causa da luz que revela esses objetos para nós.

2. *Não se pretende dizer que os meios externos não tenham nenhuma influência nesse caso.* Como já apontei, não é dessa forma, como na inspiração, que novas verdades são sugeridas, pois nesse caso é por essa luz que é dada somente a devida apreensão das mesmas verdades que são reveladas na Palavra de Deus e, assim, ela não é dada sem a Palavra. O evangelho é usado neste caso; essa luz é a "Luz do evangelho da glória de Cristo" (2 Co 4,4). O evangelho é como um espelho, pelo qual essa luz é transmitida para nós: "Porque, agora, vemos como em espelho" (1 Co 13,12).
3. Quando se diz que essa luz é dada diretamente por Deus, e não obtida por meios naturais, *pretende-se por este meio que seja por Deus sem se fazer uso de quaisquer meios que operem por seu próprio poder ou força natural.* Deus faz uso de meios, mas não como uma causa intermediária para produzir esse efeito. Não há verdadeiramente nenhuma causa secundária disso, mas é produzido por Deus diretamente. A Palavra de Deus não é causa adequada desse efeito; ela não opera por nenhuma força natural nela. A Palavra de Deus é usada apenas para transmitir à mente o assunto dessa instrução salvadora, e isso de fato é transmitido para nós por força ou influência natural. Ela transmite à nossa mente as doutrinas; é a causa da noção delas em nossa cabeça, mas não do senso de sua excelência divina em nosso coração. De fato, uma pessoa não pode ter luz espiritual sem a Palavra. Mas isso não é argumento para se dizer que a própria Palavra causa essa luz. A mente não pode ver a excelência de nenhuma doutrina, a menos que essa doutrina seja a primeira que venha à mente. No entanto, ver a excelência da doutrina pode ser imediatamente do Espírito de Deus, embora a transmissão da doutrina ou da proposição em si possa ser feita pela palavra, a fim de que as noções que são o sujeito dessa luz sejam transmitidas à mente pela Palavra de Deus. Contudo, o devido senso do coração, em que essa luz consiste formalmente, é enviado pelo Espírito de Deus de modo direto.

Por exemplo, a noção de que existe um Cristo, e que Cristo é santo e glorioso, é transmitida à mente pela Palavra de Deus, mas o senso da excelência de Cristo em razão dessa santidade e graça é, no entanto, imediatamente a obra do Espírito Santo. Venho, agora,

III. Mostrar a *verdade da doutrina*; isto é, mostrar que existe uma luz espiritual que foi descrita e, portanto, que é imediatamente deixada na mente por Deus. Aqui mostro brevemente que essa doutrina é ao mesmo tempo *bíblica* e *racional*.

Primeiro, ela é *bíblica*. Meu texto não é apenas completo para tal propósito, mas também é uma doutrina na qual as Escrituras são abundantes. Nós somos ensinados à exaustão que os santos diferem dos ímpios nesse ponto, tendo o conhecimento de Deus e uma visão de Deus e de Jesus Cristo. Mencionarei apenas alguns textos de muitos: "Todo aquele que vive pecando não o viu, nem o conheceu", (1 Jo 3,6); "Aquele que pratica o bem procede de Deus; aquele que pratica o mal jamais viu a Deus", (3 Jo 11); "O mundo não me verá mais; vós, porém, me vereis", (Jo 14,19); "E a vida eterna é esta: que te conheçam a ti, o único Deus verdadeiro, e a Jesus Cristo, a quem enviaste", (Jo 17.3). Esse conhecimento, ou visão de Deus e de Cristo, não pode ser um mero conhecimento especulativo, porque é mencionado como um ver e saber em que eles diferem dos ímpios. E, por essas Escrituras, não deve haver apenas um conhecimento diferente em grau e circunstâncias, além de diferente em seus efeitos, mas deve ser inteiramente diferente em natureza e espécie.

Essa luz e esse conhecimento são sempre mencionados como imediatamente dados por Deus: "Por aquele tempo, exclamou Jesus: Graças te dou, ó Pai, Senhor do céu e da terra, porque ocultaste essas coisas aos sábios e instruídos e as revelaste aos pequeninos. Sim, ó Pai, porque assim foi do teu agrado. Tudo me foi entregue por meu Pai. Ninguém conhece o Filho, senão o Pai; e ninguém conhece o Pai, senão o Filho e aquele a quem o Filho o quiser revelar", (Mt 11,25-27). Aqui, esse efeito é atribuído apenas à operação e ao dom arbitrário de Deus, concedendo esse conhecimento a quem Ele quiser e distinguindo aqueles com ele que têm a menor vantagem natural ou meio de conhecimento, até mesmo bebês, quando é negado aos sábios e prudentes. A transmissão do conhecimento de Deus é aqui apropriada ao Filho de Deus como sua única prerrogativa. Novamente, "Porque Deus, que disse: Das trevas resplandecerá a luz, Ele mesmo resplandeceu em nosso coração, para iluminação do conhecimento da glória de Deus, na face de Cristo", (2 Co 4,6). Isso mostra claramente que existe uma revelação de glória e excelência divinas e superlativas de Deus e Cristo, e que é peculiar aos santos, além de que é tão diretamente oriunda de Deus como a luz é do sol, sendo o efeito imediato de seu poder e de sua vontade; pois se compara a Deus criando a luz por meio de sua poderosa palavra, no começo da Criação. Além disso, é dito ser realizada pelo Espírito do Senhor, no versículo 18 do capítulo anterior. É dito que Deus dá o conhecimento de Cristo na conversão, a partir do que antes estava oculto e invisível: "Quando, porém, ao que me separou antes de eu nascer e me chamou pela sua graça, aprouve revelar seu Filho em mim", (Gl 1,15-16). As Escrituras também falam claramente de um conhecimento da palavra de Deus que foi descrito como dom imediato de Deus: "Desvenda os meus olhos, para que eu contemple as maravilhas da tua lei", (Sl 119,18). O que o salmista quis dizer quando pediu a Deus que lhe abrisse os olhos? Ele era cego? Não podia recorrer à lei e ver todas as palavras e frases quando quisesse? E o que ele quis dizer com as "maravilhas"? Foram as maravilhosas histórias da criação e do dilúvio, a passagem de Israel pelo Mar Vermelho e coisas do tipo? Seus olhos não estavam abertos para ler essas coisas incomuns quando desejasse? Sentindo-se seguro por causa das "maravilhas" na lei de Deus, ele respeitava aquelas excelências distintas e prodigiosas, além das maravilhosas manifestações das perfeições e glórias divinas presentes nos mandamentos e doutrinas da Palavra e nas obras e conselhos de Deus que foram revelados. Assim, as Escrituras falam de um conhecimento da dispensação de Deus, da Aliança da misericórdia e do meio de graça para com o seu povo, tão peculiar aos santos, e concedido apenas por Deus: "A intimidade do Senhor é para os que o temem, aos quais Ele dará a conhecer a sua aliança", (Sl 25,14).

Uma crença verdadeira e salvadora da verdade da religião é aquela que surge de tal revelação; isso é também o que as Escrituras ensinam. Conforme João 6,40: "De fato, a vontade de meu Pai é que todo homem que vir o Filho e Nele crer tenha a vida eterna", em que fica claro que a verdadeira fé é a que surge da visão espiritual de Cristo. E João 17,6-8: "Manifestei o Teu nome aos homens que me deste do mundo [...] Agora, eles reconhecem que todas as coisas que me tens dado provêm de ti; porque eu lhes tenho transmitido as palavras que me deste, e eles as receberam, e verdadeiramente conheceram que saí de ti, e creram que tu me enviaste", quando Cristo, manifestando o nome de Deus aos discípulos, ou dando-lhes o conhecimento de Deus, foi aquele pelo qual souberam que a doutrina de Cristo era de Deus e que o próprio Cristo era Dele, procedia Dele e era enviado por Ele. Novamente, João 12,44-46: "E Jesus clamou, dizendo: Quem crê em mim crê, não em mim, mas naquele que me enviou. E quem vê a mim, vê aquele que me enviou. Eu vim como luz para o mundo, a fim de que todo aquele que crê em mim não permaneça nas trevas". O fato de crerem em Cristo e de vê-lo espiritualmente é mencionado como algo em paralelo.

Cristo condena os judeus que não o reconheciam como o Messias e que sua doutrina era verdadeira, com um sabor e prazer interiores únicos do divino, em Lucas 12,56-57. Ele censurou os judeus porque, embora pudessem discernir o aspecto do céu e da terra e os sinais climáticos, ainda assim não podiam discernir aqueles tempos, ou, como é expresso em Mateus, os sinais daqueles tempos. Ele continua: "Sim, e por que vocês mesmos não julgam o que é certo?", em outras palavras, sem sinais extrínsecos. Por que vocês não têm esse senso de verdadeira excelência pelo qual distinguimos o que é santo e divino? Por que não têm aquele saborear das coisas de Deus, pelo qual poderiam ver a glória distintiva e a divindade evidentes em mim e em minha doutrina?

O apóstolo Pedro menciona isso como o que lhes deu (aos apóstolos) uma garantia benéfica e bem fundamentada da verdade do evangelho, de que haviam visto a glória divina de Cristo: "Porque não vos demos a conhecer o poder e a vinda de nosso Senhor Jesus Cristo seguindo fábulas engenhosamente inventadas, mas nós mesmos fomos testemunhas oculares da sua majestade", (2 Pe 1,16). O apóstolo está se referindo à glória visível de Cristo que eles viram em sua transfiguração. Tal glória era tão divina, com aparência e semblante tão inefáveis de santidade, majestade e graça divinas, que evidentemente indicavam que Ele era uma pessoa divina. Mas, se uma visão da glória externa de Cristo pode dar uma garantia racional de sua divindade, por que uma apreensão de sua glória espiritual também não pode? Sem dúvida, a glória espiritual de Cristo é em si mesma tão distintiva e tão claramente reveladora de sua divindade quanto sua glória exterior; e muito mais, pois sua glória espiritual é aquela em que sua divindade consiste. A glória externa de sua transfiguração mostrou que Ele era divino apenas porque era uma imagem ou representação notável dessa glória espiritual. Sem dúvida, portanto, aquele que teve uma visão clara da glória espiritual de Cristo pode dizer: "Eu não segui fábulas inventadas astuciosamente, mas tenho sido uma testemunha ocular de sua majestade", por motivos tão bons quanto os do apóstolo, quando ele falava sobre a glória externa de Cristo que havia visto.

Mas isso me leva ao que foi proposto a seguir, a saber, mostrar que, em segundo lugar, essa doutrina é racional.

1. É racional supor que exista realmente uma excelência nas coisas divinas, que é tão transcendente e extremamente diferente do que está nas outras coisas que, se fossem vistas, as distinguiria mais evidentemente. Não podemos duvidar racionalmente que as coisas que são divinas, pertencentes ao Ser Supremo, sejam muito diferentes das coisas que são humanas; que elas tenham aquela excelência divina,

elevada e gloriosa que as diferencia notavelmente das coisas que são dos homens; de tal modo que, se a diferença fosse apenas vista, ela teria uma influência convincente e satisfatória sobre qualquer um de que elas são o que são, a saber, divinas. Que razão pode ser oferecida contra isso? A menos que argumentemos que Deus não é notavelmente distinto dos homens em glória.

Caso Cristo se manifestasse agora a qualquer um como se manifestou no monte em sua transfiguração, ou caso Ele se manifestasse ao mundo na glória que agora manifesta no céu, como fará no dia do julgamento, sem dúvida, a glória e a majestade em que se manifestaria seriam tais que convenceriam a todos de que Ele era uma pessoa divina e que a religião era verdadeira. Isso seria uma convicção razoável, além de ser uma convicção bem fundamentada. E por que não pode haver esse selo de divindade ou glória divina na Palavra de Deus, no esquema e na doutrina do evangelho, que seja de igual modo distintivo e racionalmente convincente, se apenas visto? É racional supor que, quando Deus fala ao mundo, deva existir algo em sua palavra ou em seu discurso muito diferente da palavra dos homens. Supondo que Deus nunca tivesse falado com o mundo, mas que houvéssemos percebido que estava prestes a fazê-lo, que estava prestes a se revelar do céu e a falar conosco diretamente, em pronunciamentos ou discursos divinos, como se saídos de sua própria boca, ou que nos desse um livro ditado por Ele, de que maneira esperaríamos que Ele falasse? Não seria racional supor que seu discurso fosse muito diferente do discurso dos homens, que Ele falasse como um Deus, isto é, que deveria haver uma excelência e sublimidade em sua fala ou palavra, um selo de sabedoria, santidade, majestade e outras perfeições divinas, de modo que a palavra dos homens, sim, dos mais sábios dos homens, parecesse mesquinha e básica em comparação? Sem dúvida, seria racional esperar isso, e irracional pensar o contrário. Quando um homem sábio fala no exercício de sua sabedoria, há algo em tudo o que ele diz que é muito distinto do falar de uma criança pequena. Portanto, sem dúvida, e muito mais, o discurso de Deus (se é que existe algo como o discurso de Deus) deve ser distinguido do discurso dos mais sábios dos homens, em concordância com Jeremias 23,28-29. Deus, tendo reprovado os falsos profetas que profetizaram em Seu nome e fingiram que o que diziam era a Palavra de Deus, quando na verdade era a palavra deles, diz: "O profeta que tem sonho conte-o como apenas sonho; mas aquele em quem está a minha palavra fale a minha palavra com verdade. Que tem a palha com o trigo? – diz o Senhor. – Não é a minha palavra fogo, diz o Senhor, e martelo que esmiúça a penha?".

2. Se existe uma excelência tão distinta nas coisas divinas, é racional supor que *haja algo que possa ser visto*. Não há impedimento para que possa ser visto! Não há argumento de que não exista tal excelência distintiva, ou que, se existir, que não possa ser vista, e que alguns não a vejam, embora possam ser homens perspicazes em assuntos temporais. Não é racional supor, se houver tal excelência nas coisas divinas, que os homens maus a vejam. Não é racional supor que aqueles cujas mentes estão cheias de poluição espiritual e sob o poder de luxúrias imundas devam ter qualquer prazer, senso de beleza ou excelência divina, ou que suas mentes devam ser suscetíveis àquela luz que, em sua própria natureza, é tão pura e celestial. Não é de todo estranho que o pecado cegue assim a mente, visto que os temperamentos e as disposições naturais particulares dos homens os cegam em assuntos seculares do mesmo modo, quando o temperamento natural dos homens é melancólico, ciumento, medroso, orgulhoso ou algo parecido.

3. É racional supor que *esse conhecimento seja dado diretamente por Deus*, e que não seja obtido por meios naturais. Por que razão deveria parecer irracional existir alguma comunicação direta entre Deus e a criatura? É estranho que os homens tenham dificuldade quanto a isso. Por que aquele que fez todas as coisas não deveria ter alguma relação direta com as coisas que fez? Onde está a grande dificuldade, se possuímos o ser de um Deus, e se Ele criou todas as coisas do nada,

de aceitar que há alguma influência direta de Deus sobre a criação? E, se é razoável supor isso em relação a qualquer parte da criação, é especialmente verdade em relação a criaturas racionais e inteligentes, que estão ao lado de Deus na gradação das diferentes ordens de seres e cujas atividades se relacionam mais diretamente com Deus; que foram criados de propósito para os exercícios que dizem respeito a Deus e que têm a ver com Deus. A razão ensina que o homem foi feito para servir e glorificar seu Criador; se é racional supor que Deus se comunique de modo direto com o homem em algum caso, então esse é o caso. É racional supor que Deus reservaria que esse conhecimento e essa sabedoria, de natureza tão divina e excelente, fossem concedidos diretamente por Ele próprio e que não fossem deixados em poder de causas secundárias. A sabedoria e a graça espirituais são os presentes mais elevados e de maior excelência que Deus já concedeu a qualquer criatura: nisso consiste a mais elevada excelência e perfeição de uma criatura racional. Esse também é certamente o mais importante de todos os dons divinos; é aquele em que consiste a bem-aventurança do homem e da qual depende o seu bem-estar eterno. Quão racional é supor que Deus, por mais que tenha deixado bens mais baixos e dons inferiores para causas secundárias, e de alguma forma em seu poder, ainda assim deva reservar essa mais excelente, sublime e importante de todas as comunicações divinas em suas próprias mãos, para ser concedida diretamente por si mesmo, como algo grande demais para que as causas secundárias se envolvam! É racional supor que essa bênção venha diretamente de Deus, pois não há presente ou benefício que seja em si tão próximo da natureza divina, não há nada que a criatura receba que seja tanto de Deus, de sua natureza, tanto de uma participação da divindade. É uma espécie de emanação da beleza de Deus, e está relacionada a Deus como a luz está ao Sol. Portanto, é congruente e adequado que, quando isso é dado por Deus, seja a partir Dele mesmo e por si mesmo, de acordo com sua própria vontade soberana.

É racional supor que esteja além do poder do homem obter esse conhecimento e essa luz pela mera força da razão natural; pois não é uma coisa que pertence à razão ver a beleza e o encanto das coisas espirituais; não é uma coisa especulativa, mas depende do senso do coração. A razão, de fato, é necessária para isso, pois é apenas pela razão que nos tornamos sujeitos dos meios dela; os meios necessários para isso já demonstrei, embora eles não tenham influência causal adequada no processo. É pela razão que nos tornamos possuidores de uma noção daquelas doutrinas que são objeto da luz divina; a razão pode, de várias maneiras, ser indireta e remotamente uma vantagem para isso. A razão também está relacionada com os atos que são imediatamente consequentes dessa revelação: ver a verdade da religião a partir daí se dá por meio da razão, embora esse seja apenas um passo, e a inferência, imediata. Portanto, a razão está relacionada com a aceitação e a confiança em Cristo, que são consequentes. Contudo, se considerarmos a razão estritamente, não pela faculdade de percepção mental em geral, e sim pelo raciocínio ou pela capacidade de inferir por argumentos, isto é, se tomarmos a razão desse modo, a percepção da beleza e da excelência espiritual não pertence mais à razão do que à sensação de sentir a percepção das cores, ou pelo poder de ver para perceber a doçura dos alimentos. Está fora da esfera da razão perceber a beleza ou o encanto de qualquer coisa; tal percepção não pertence a essa faculdade. O trabalho da razão é perceber a verdade, e não a excelência. Não é o raciocínio que dá aos homens a percepção da beleza e da amabilidade de um semblante, embora indiretamente possa constituir de muitas maneiras uma vantagem para isso. No entanto, não há mais razão que as perceba diretamente, assim como não há razão que perceba a doçura do mel: isso depende do senso do coração. A razão pode determinar que um semblante é bonito para os outros, pode determinar que o mel é doce para os outros, mas nunca me dará uma percepção de sua doçura. Concluirei com um breve desenvolvimento do que foi dito.

DESENVOLVIMENTO

Primeiro, essa doutrina pode nos levar a refletir sobre a bondade de Deus, que assim ordenou, que uma evidência salvadora da verdade do evangelho é tal que é alcançável por pessoas com capacidades e vantagens médias, bem como por aquelas que são dos melhores setores e com o melhor aprendizado. Se a evidência do evangelho dependesse apenas do histórico e dos raciocínios que somente os homens instruídos são capazes de ter, ela estaria acima do alcance de grande parte da humanidade. Mas pessoas com um nível comum de conhecimento são capazes, sem um longo e sutil encadeamento lógico, de ver a excelência divina das coisas da religião; elas são aptas a serem ensinadas pelo Espírito de Deus, tal como os homens instruídos. A evidência obtida dessa maneira é muito melhor e mais satisfatória do que tudo o que pode ser obtido pelos argumentos dos que são mais instruídos e dos maiores mestres da razão. As crianças são capazes tanto quanto os sábios e prudentes de conhecer essas coisas, as quais são frequentemente escondidas destes quando são reveladas àquelas: "Irmãos, reparai, pois, na vossa vocação; visto que não foram chamados muitos sábios segundo a carne, nem muitos poderosos, nem muitos de nobre nascimento; pelo contrário, Deus escolheu as coisas loucas do mundo..." (1 Co 1,26-27).

Segundo, essa doutrina pode muito bem nos levar a examinar a nós mesmos se alguma vez tivemos essa luz divina que foi introduzida em nossa alma, como descrito. Se realmente existe algo assim, não sendo apenas uma noção ou capricho de pessoas de cérebros fracos e destemperados, então sem dúvida é algo de grande importância saber se fomos assim ensinados pelo Espírito de Deus; se a luz do glorioso evangelho de Cristo, que é a imagem de Deus, brilhou para nós, dando-nos a luz do conhecimento da glória de Deus na face de Jesus Cristo; se vimos o Filho e cremos Nele, ou temos a fé nas doutrinas do evangelho que surgem da visão espiritual de Cristo.

Terceiro, todos podem, portanto, ser exortados a buscar essa luz espiritual. Para influenciar e mover para isso, as seguintes coisas podem ser consideradas.

1. Essa é a mais *excelente e divina* sabedoria que qualquer criatura é capaz de adquirir. É mais excelente do que qualquer aprendizado humano; é muito mais excelente do que todo o conhecimento dos maiores filósofos ou estadistas. Sim, o menor vislumbre da glória de Deus na face de Cristo exalta e enobrece a alma mais do que todo o conhecimento daqueles que têm o maior entendimento especulativo na divindade, sem a graça. Esse conhecimento tem o objeto mais nobre que existe ou que pode existir, a saber, a glória ou excelência divinas de Deus e Cristo. O conhecimento desses objetos é aquele em que consiste o conhecimento mais excelente dos anjos, sim, o do próprio Deus.

2. Esse conhecimento é o que está acima de todos os outros, *doce e jubiloso*. Os homens têm muito prazer no conhecimento humano, nos estudos das coisas naturais; mas isso não é nada comparado à alegria que surge dessa luz divina que brilha na alma. Essa luz proporciona uma visão daquelas coisas que são, de modo extremo, as mais requintadamente bonitas e capazes de encantar os olhos do entendimento. Essa luz espiritual é o alvorecer da luz da glória no coração. Não há nada tão poderoso como isso para apoiar as pessoas em aflição e dar à mente paz e clareza neste mundo tempestuoso e sombrio.

3. Essa luz influencia efetivamente a inclinação e *muda a natureza da alma*. Ela assimila a natureza à natureza divina e transforma a alma em imagem da mesma glória que é contemplada: "E todos nós, com o rosto desvendado, contemplando, como por espelho, a glória do Senhor, somos transformados, de glória em glória, na sua própria

imagem, como pelo Senhor, o Espírito" (2 Co 3.18). Esse conhecimento afastará do mundo e suscitará a inclinação para as coisas celestiais. Fará o coração voltar-se para Deus como a fonte do bem e o escolher como aquilo que importa. Essa luz, e somente ela, conduzirá a alma a um fim salvífico com Cristo. Ela conforma o coração ao evangelho, mortificando sua inimizade e oposição ao esquema de salvação nele revelado. Faz com que o coração abrace as boas-novas, aderindo a elas inteiramente, e se submeta à revelação de Cristo como nosso Salvador. Faz com que a alma por inteiro se harmonize em uma sinfonia com ela, admitindo-a com todo crédito e respeito, e que se apegue a ela com total inclinação e afeto, efetivamente dispondo a alma para se entregar inteiramente a Cristo.

4. Essa luz, e somente ela, *tem seu fruto em uma santidade total de vida*. Nenhum entendimento meramente imaginário ou especulativo das doutrinas da religião levará a isso. Mas essa luz, quando atinge o fundo do coração, muda sua natureza, de modo que efetivamente ele se disporá a uma obediência total. Ela mostra o mérito de Deus em ser obedecido e servido. Atrai o coração a um amor sincero a Deus, que é o único princípio de uma obediência verdadeira, graciosa e total, e convence da realidade dessas recompensas gloriosas que Deus prometeu àqueles que lhe obedecem.

A RESOLUÇÃO DE RUTE

"Disse, porém, Rute: 'Não me instes para que Te deixe e me obrigue a não seguir-Te; porque, aonde quer que fores, irei eu e, onde quer que pousares, ali pousarei eu; o teu povo é o meu povo, o teu Deus é o meu Deus'", (Rt 1,16).

Os fatos históricos desse livro de Rute parecem estar inseridos no cânon das Escrituras especialmente em dois relatos:

Primeiro, porque Cristo é da posteridade de Rute. O Espírito Santo julgou oportuno dar especial atenção ao casamento de Boaz com Rute, de onde nasceu o Salvador do mundo. Podemos observar com frequência que o Espírito Santo, que ditou as Escrituras, em geral percebe pequenas coisas, ocorrências mínimas, que se relacionam remotamente a Jesus Cristo.

Segundo, porque essa história parece ser típica do chamado da igreja gentia e, de fato, da conversão de todo crente. Rute não era originalmente de Israel, mas era uma moabita, uma estrangeira da comunidade de Israel; todavia, ela abandonou seu próprio povo e os ídolos dos gentios para adorar o Deus de Israel e se unir a esse povo. Aqui ela parece ser um tipo da igreja gentia e também de todo convertido sincero. Rute era a mãe de Cristo; Ele veio de sua posteridade. Assim, a igreja é a mãe de Cristo, como é representada, Ap 12, no início. Desse modo, também todo cristão verdadeiro é sua mãe: "Porque todo aquele que fizer a vontade de meu Pai celeste, esse é meu irmão, irmã e mãe" (Mt 12,50). Cristo é o que a alma de cada um dos eleitos está sofrendo no novo nascimento. Rute abandonou todas as suas relações naturais e seu próprio país, a sua terra natal e todas as suas posses, por causa do Deus de Israel, da mesma maneira que todo cristão verdadeiro abandona tudo por Cristo: "Ouve, filha; vê, dá atenção; esquece o teu povo e a casa de teu pai" (Sl 45,10).

Noemi estava voltando da terra de Moabe para Israel com suas duas noras, Orfa e Rute, as quais nos representarão dois tipos de professores de religião: Orfa é do tipo que realmente exerce uma profissão justa e parece fazê-la bem, mas resiste por um tempo e depois volta; Rute é do tipo que é sólido e sincero e, portanto, firme e perseverante da maneira planejada. Nos versículos anteriores, Noemi representa para essas filhas as dificuldades de deixarem seu próprio país para acompanhá-la. Nesse versículo pode ser observado:

1. A conduta e o comportamento notáveis de Rute nessa ocasião; com uma resolução inflexível, ela se apega a Noemi e a segue. Quando Noemi decide voltar da terra de Moabe para Israel, Orfa e Rute partem com ela, mas Noemi exorta as duas a voltarem. Elas choram, parecendo não poder suportar a ideia de deixá-la, aparentemente tendo resolvido ir com ela: "E lhe disseram: Não! Iremos contigo ao teu povo" (Rt 1,10). Então Noemi lhes diz novamente: "Tornai, filhas minhas! Ide-vos embora...". Com isso, elas foram mais uma vez grandemente afetadas, e Orfa retornou para não voltar mais. Pois bem, a firmeza de Rute em seu propósito teve uma prova maior, mas ainda não foi superada: "Rute se apegou a ela", (Rt 1,14).

Noemi fala com ela mais uma vez: "Eis que tua cunhada voltou ao seu povo e aos seus deuses; também tu, volta após a tua cunhada" (Rt 1,15). Com isso, ela mostra sua resolução imutável no texto e no versículo seguinte.

2. Particularmente faria a observação sobre onde se encontra a virtude dessa resolução, a saber, que foi por causa do Deus de Israel e de que poderia se tornar alguém de seu povo que ela resolveu se apegar a Noemi: "O teu povo é o meu povo, o teu Deus é o meu Deus". Foi por amor a Deus que ela fez isso. Portanto, o que ela faz depois é mencionado como um comportamento virtuoso dela: "Respondeu Boaz e lhe disse: Bem me contaram tudo quanto fizeste a tua sogra, depois da morte de teu marido, e como deixaste a teu pai, e a tua mãe, e a terra onde nasceste e vieste para um povo que dantes não conhecias. O Senhor retribua o teu feito, e seja cumprida a tua recompensa do Senhor, Deus de Israel, sob cujas asas vieste buscar refúgio" (Rt 2,11-12). Ela deixou pai, mãe e a terra de sua natividade para vir e se proteger à sombra das asas de Deus. De fato, recebeu uma recompensa completa como Boaz desejava, pois, além de bênçãos espirituais imediatas para sua própria alma e recompensas eternas em outro mundo, foi recompensada com circunstâncias externas abundantes e prósperas na família de Boaz. Deus ergueu Davi e Salomão de sua descendência e estabeleceu a coroa de Israel (o povo que ela escolheu antes de seu próprio povo – em sua posteridade, e, ainda mais do que isso, de sua semente ressuscitou Jesus Cristo, em quem todas as famílias da terra são abençoadas.

Das palavras assim colocadas, guardo estas para o assunto do meu discurso atual:

> *Quando aqueles com quem anteriormente conversamos*
> *estão se voltando para Deus e se unindo ao seu povo,*
> *deve ser nossa firme resolução que não os deixaremos,*
> *mas que seu povo será nosso povo, e seu Deus, nosso Deus.*

Ocasionalmente acontece que, daqueles que conversaram um com o outro, que moraram juntos como vizinhos e que estiveram frequentemente juntos como companheiros, que se uniram em uma relação próxima, ou que estiveram juntos na escuridão, na escravidão ou na miséria a serviço de Satanás, alguns deles possam ser iluminados e mudem de ideia. Eles são levados a ver o grande mal do pecado e têm o coração voltado para Deus, sendo influenciados pelo Espírito Santo de Deus a deixarem seu companheiro, que está do lado de Satanás, para irem embora e se unirem àquela companhia abençoada que está com Jesus Cristo. Estão dispostos a abandonar as tendas da iniquidade, a habitar na terra da retidão com o povo de Deus.

Às vezes, isso exige uma despedida ou separação final entre eles e aqueles com quem já haviam conversado. Embora talvez não se separem em aspectos externos, ainda podem morar juntos e conversar um com o outro. Todavia, em outros aspectos, isso os coloca a uma grande distância: um é filho de Deus, e o outro, inimigo de Deus; um está em um estado miserável, e o outro, em uma condição feliz; um é cidadão da Sião celestial, e o outro está sob a condenação ao inferno. Eles não estão mais juntos naqueles aspectos em que costumavam ficar. Tinham a mesma mente para servir ao pecado e fazer a obra de Satanás; agora têm mentes contrárias. Costumavam estar juntos em mundanismo e vaidade pecaminosa; agora são de disposições bem diferentes. São separados como se estivessem em reinos diferentes; um permanece no reino das trevas, e o outro é levado ao reino do querido Filho de Deus. Às vezes são finalmente separados nesses aspectos; enquanto um habita na terra de Israel e na casa de Deus, o outro, como Orfa, vive e morre na terra de Moabe.

Ora, é lamentável quando as coisas são assim. É terrível se separar. É triste quando, dentre aqueles que antes estavam juntos no pecado, alguns se voltam para Deus e se juntam ao seu povo, comprovando uma separação entre eles e seus antigos companheiros e conhecidos. Nossa resolução deve ser nossa resolução firme e inflexível em tal caso que não haja separação, mas sim que nós os seguiremos, que seu povo será nosso povo, e seu Deus, nosso Deus; e isso pelos seguintes motivos:

I. Porque o *Deus* deles é um Deus glorioso. Não há outro como Ele, que é infinito em glória e excelência. Ele é o Deus Altíssimo, glorioso em santidade, temeroso em louvores, que faz maravilhas. O seu nome é excelente em toda a terra e a sua glória está acima da terra e dos céus. Entre os deuses não há nenhum como Ele; não há ninguém no céu para ser comparado a Ele, nem há entre os filhos dos poderosos quem possa ser comparado a Ele. O Deus deles é a fonte de todo bem, e uma fonte inesgotável. Ele é um Deus todo-suficiente, capaz de protegê-los e defendê-los, e de fazer todas as coisas por eles. Ele é o rei da glória, o Senhor forte e poderoso, o Senhor poderoso em batalha: uma rocha forte e uma torre alta. Não há outro como o Deus de Jesurum[21], que cavalga sobre o céu para protegê-lo e em sua majestade sobre as mais altas nuvens. O Deus eterno é o seu refúgio, e por baixo estão os Seus braços eternos. Ele é um Deus que tem todas as coisas em suas mãos e faz o que bem entender: mata e faz viver; desce à sepultura e traz à tona; empobrece e enriquece; as colunas da terra são do Senhor. O Deus deles é um Deus infinitamente santo; não há santo como o Senhor. Ele é infinitamente bom e misericordioso. Muitos que outros adoram e servem como deuses são seres cruéis, espíritos que buscam a ruína das almas, porém este é um Deus que se deleita na misericórdia; Sua graça é infinita e dura para sempre. Ele é o próprio amor, uma fonte infinita e seu oceano. Esse Deus é o Deus deles! Tal é a excelência de Jacó! Tal é o Deus daqueles que abandonaram seus pecados e se converteram! Fizeram uma escolha sábia os que O escolheram para seu Deus. Realmente fizeram uma troca feliz, substituindo o pecado e o mundo por um Deus assim!

---

21 Nome poético usado na Bíblia hebraica para se referir a Israel. (N.T.)

Eles têm um excelente e glorioso Salvador, que é o Filho unigênito de Deus; o brilho da glória de seu Pai; alguém em quem Deus desde a eternidade teve prazer infinito; um salvador de amor infinito; alguém que derramou seu próprio sangue e fez de sua alma uma oferta pelos pecados deles, e alguém que pode salvá-los ao máximo.

II. Seu *povo* é um povo excelente e feliz. Deus os renovou, estampando sua própria imagem neles, e fazendo-os participantes de sua santidade. Eles são mais excelentes que seus vizinhos (Pv 12,26). Sim, eles são os excelentes da terra, Sl 16,3. Eles são adoráveis à vista dos anjos e têm suas almas adornadas com aquelas graças que aos olhos do próprio Deus são de grande valor.

O povo de Deus é a sociedade mais excelente e feliz do mundo. O Deus que escolheram para seu Deus é seu Pai; Ele perdoou todos os seus pecados, e eles estão em paz com Ele; Deus lhes concedeu todos os privilégios de seus filhos. Pelo fato de se dedicaram a Ele, Deus se entregou a eles. Ele se tornou salvação e sua porção; seu poder, sua misericórdia e todos os seus atributos são deles. Eles se encontram em um estado seguro, livre de todas as possibilidades de perecer: Satanás não tem poder para destruí-los. Deus os carrega nas asas de uma águia, muito acima do alcance de Satanás e acima do alcance de todos os inimigos de suas almas. Deus está com eles neste mundo; eles têm a graça de Deus. Deus é por eles, quem então pode ser contra eles? Do mesmo modo que os montes estão ao redor de Jerusalém, assim Jeová está ao redor deles. Deus é seu escudo e sua grande recompensa; a comunhão deles é com o Pai e com seu Filho Jesus Cristo. Eles têm a promessa e o juramento divinos de que no mundo vindouro habitarão para sempre na presença gloriosa de Deus.

Isso pode ser suficiente para induzir a resolução de nos apegarmos àqueles que abandonam seus pecados e ídolos para se unirem a esse povo, já que Deus está com eles: "Assim diz o Senhor dos Exércitos: Naquele dia, sucederá que pegarão dez homens, de todas as línguas das nações, pegarão, sim, na orla da veste de um judeu e lhe dirão: Iremos convosco, porque temos ouvido que Deus está convosco" (Zc 8,23). Portanto, as pessoas deveriam segurar a orla da veste de seus vizinhos e companheiros que se voltaram para Deus e decidirem que irão com eles, porque Deus está com eles.

III. A *felicidade* não existe em nenhum outro lugar a não ser em seu Deus e com seu povo. Existem muitos que são chamados de deuses e de senhores. Alguns transformam em deuses seus prazeres; alguns escolhem Mamom[22] como seu deus; alguns fazem de deuses suas supostas excelências, ou as vantagens externas que têm acima de seus vizinhos. Alguns escolhem uma coisa para seu deus e outros, outra.

Todavia, os homens não podem ser felizes com nenhum outro deus além do Deus de Israel; Ele é a única fonte de felicidade. Outros deuses não podem ajudar na calamidade, nem podem pagar pelo que a pobre alma vazia precisa. Que os homens nunca amem demais esses outros deuses, invocando-os com tanta sinceridade, e que nunca os sirvam com tanta diligência, pois continuarão sendo criaturas pobres, miseráveis, insatisfeitas e perdidas. Todas as outras pessoas são infelizes, exceto aquelas cujo Deus é o Senhor. O mundo está dividido em duas sociedades. Há o povo de Deus – o pequeno rebanho de Jesus Cristo – aquela companhia sobre a qual lemos, de acordo com: "São estes os que não se macularam com mulheres, porque são castos. São eles os seguidores do Cordeiro por onde quer que vá. São os que foram redimidos dentre os homens, primícias para Deus e para o Cordeiro" (Ap 14,4). E há aqueles que pertencem ao reino das trevas, que estão sem Cristo, sendo estrangeiros da comunidade de Israel, estrangeiros da Aliança da promessa, sem esperança e sem Deus no mundo. Tudo o que é dessa última companhia é miserável e desfeito; eles são os inimigos de Deus, e estão sob sua ira e condenação. São os escravos do diabo, servindo-o de

---

22 Palavra hebraica que significa "riqueza". (N.T.)

olhos vendados, sendo enganados e enredados por ele, apressando-se ao longo do amplo caminho para a perdição eterna.

IV. Quando aqueles com quem já conversamos estão se voltando para Deus e para seu povo, seu *exemplo* deve nos influenciar. O exemplo deles deve ser encarado como o chamado de Deus para que façamos o que fizeram. Deus, quando muda o coração de um, chama outro; particularmente, Ele chama em voz alta aqueles que são seus amigos e conhecidos. Fomos influenciados por seus exemplos no mal e deixaremos de segui-los quando fizerem a escolha mais sábia da vida deles, a melhor coisa que já realizaram? Se fomos seus companheiros no mundanismo, na vaidade, em conversas inúteis e pecaminosas, será difícil caso aconteça uma separação agora, porque não estamos dispostos a ser seus companheiros em santidade nem na verdadeira felicidade. Os homens são grandemente influenciados ao verem a prosperidade uns dos outros em outras coisas. Se aqueles com quem têm muita familiaridade se enriquecem e obtêm grandes vantagens terrenas, isso desperta sua ambição e desejo ansioso por prosperidade semelhante. Quanto mais eles devem ser influenciados e estimulados a segui-los e a ser como eles, quando obtiverem essa felicidade espiritual e eterna que é infinitamente mais valiosa do que toda a prosperidade e glória deste mundo!

V. Nossas resoluções de nos apegarmos a seguir aqueles que estão se voltando para Deus e se unindo ao seu povo devem ser *firmes e fortes*, por causa da grande dificuldade disso. Se nos apegarmos a eles e tomarmos o Deus deles como nosso Deus, e o seu povo como o nosso povo, devemos nos mortificar e negar todas as nossas concupiscências, ultrapassar todo apetite e inclinação para o mal e nos separar para sempre de todo pecado. Mas nossos desejos são muitos e violentos. O pecado é naturalmente muito caro para nós; separar-nos dele compara-se a arrancar nosso olho direito. Os homens podem se abster de pecados habituais por um tempo e negar suas concupiscências em grau parcial, com menor dificuldade. No entanto, é um trabalho que exige muito do coração separar-se definitivamente de todo pecado e dar aos nossos mais queridos desejos uma declaração de divórcio, mandando-os embora totalmente. Mas devemos fazer isso se quisermos seguir aqueles que estão realmente se voltando para Deus. Sim, devemos não apenas abandonar o pecado, mas, de certa forma, abandonar o mundo todo, conforme: "Assim, pois, todo aquele que dentre vós não renuncia a tudo quanto tem não pode ser meu discípulo" (Lc 14,33). Ou seja, ele deve abandonar tudo em seu coração e deve ter uma disposição e prontidão completas para deixar tudo por Deus e pelos gloriosos privilégios espirituais de seu povo, sempre que o caso exigir, sem qualquer perspectiva de algo de natureza semelhante ou qualquer coisa do mundo para compensar isso. Tudo para entrar em um país estranho, uma terra que até agora não foi vista, do mesmo modo que Abraão, que era chamado por Deus, "saiu de seu próprio país, e de seus parentes e da casa de seu pai, por uma terra que Deus deveria lhe mostrar, sem saber para onde iria".

Assim como foi difícil para Rute abandonar seu país natal, seu pai e sua mãe, seus parentes e conhecidos, e todas as coisas agradáveis que tinha na terra de Moabe, para morar na terra de Israel, onde nunca havia estado. Noemi contou a ela as dificuldades duas ou mais vezes. Elas foram muito difíceis para sua irmã Orfa; considerar tais coisas fez com que ela desistisse de ir com Noemi e Rute e retorna a casa de seus pais. Sua resolução não foi firme o suficiente para superá-las. Mas tão firmemente decidida foi Rute, que rompeu com tudo; ela tinha firmeza na ideia de que, independentemente da dificuldade, não deixaria sua sogra. Portanto, as pessoas precisavam ser muito firmes em sua resolução para vencer as dificuldades que estão no caminho, apegar-se àqueles que de fato estão se voltando do pecado para Deus.

Nosso apego a eles e ter o seu Deus como nosso Deus e seu povo como nosso povo dependem de nossa resolução e escolha, e isso em dois aspectos:

1. A firmeza da resolução no uso de meios para tal propósito é *a maneira de ter meios eficazes*. Existem meios designados para nos tornarmos parte da verdadeira Israel e de termos o seu Deus como o nosso Deus. O uso completo desses meios é o caminho para o sucesso, mas não um uso frouxo ou leve. Para que sejamos minuciosos, é preciso poder de resolução, disposição firme e inflexível e força mental para sermos universais no uso dos meios, para fazer o que fazemos com nossa força e perseverar nela. "O reino dos céus é tomado por esforço, e os que se esforçam se apoderam dele" (Mt 11,12).

2. A escolha de seu Deus e de seu povo, com total determinação e com toda a alma, é *a condição de uma união com eles*. Deus dá a cada um do mesmo modo que Orfa e Rute puderam escolher se iriam com Noemi para a terra de Israel ou se permaneceriam na terra de Moabe. Um homem comum pode optar pela libertação do inferno, mas ninguém jamais escolhe de coração a Deus e a Cristo, os benefícios espirituais que Cristo comprou e a felicidade do povo de Deus até que se converta. Pelo contrário, ele é avesso a tais benefícios, não tem prazer neles e é totalmente ignorante de sua dignidade e de seu valor inestimáveis.

Muitos homens carnais parecem escolher essas coisas, mas não o fazem realmente, da mesma maneira que Orfa parecia a princípio optar por abandonar Moabe para entrar na terra de Israel. No entanto, quando Noemi pôs diante dela a dificuldade, ela voltou. Assim, isso mostrou que ela não estava totalmente determinada em sua escolha e que sua alma não estava completamente decidida como a de Rute.

APLICAÇÃO

Usei o que foi dito para levar os pecadores a tomarem uma decisão, respeitando aqueles entre nós que recentemente se voltaram para Deus e se uniram ao rebanho de Cristo. Através da abundante misericórdia e graça de Deus conosco neste lugar, pode-se dizer que muitos estão em uma condição sem Cristo, recentemente deixados por aqueles que estavam com vocês em tal estado. Há alguns com quem vocês já tinham familiaridade, que recentemente abandonaram a vida de pecado e de serviço de Satanás, voltando-se para Deus, fugindo para Cristo e se unindo àquele grupo abençoado que está com Ele. Estavam com vocês no pecado e na miséria, porém já não estão mais nesse estado ou modo de vida. Mudaram e fugiram da ira que virá, escolheram uma vida de santidade aqui e o gozo de Deus no futuro. Foram seus companheiros em cativeiro e estavam com vocês nos negócios de Satanás, mas agora vocês não têm mais a companhia deles nessas coisas. Muitos de vocês viram aqueles com quem viviam sob o mesmo teto deixando de estar com vocês em pecado para estarem com o povo de Jesus Cristo. Alguns de vocês, maridos, tiveram nessa condição suas esposas, e alguns de vocês que são esposas tiveram seus maridos; alguns de vocês, filhos, tiveram seus pais, e os pais tiveram seus filhos; muitos de vocês tiveram seus irmãos e irmãs e muitos de seus vizinhos próximos, conhecidos e amigos especiais; muitos de vocês, jovens, tiveram seus companheiros. Eu afirmo, muitos de vocês tiveram aqueles com os quais se preocuparam deixando-os, abandonando a vida triste e o estado miserável em que ainda continuam. Deus, por seu bom prazer e maravilhosa graça, recentemente fez com que fosse neste lugar que multidões abandonassem suas antigas moradas na terra de Moabe, sob os deuses de Moabe, e entrassem na terra de Israel, colocando sua confiança sob as asas do

Senhor Deus de Israel. Embora vocês e eles tenham sido íntimos e vivido juntos, ou estivessem frequentemente juntos e familiarizados um com o outro, eles foram levados e vocês, deixados. Oh, que não seja o começo de uma despedida final! Mas que sinceramente os sigam, sejam firmes em sua decisões nesse assunto. Não façam como Orfa, que, embora a princípio tenha agido como se seguisse Noemi, quando a dificuldade foi colocada diante dela, retornou. Como Rute: "Não te deixarei; mas para onde fores, irei; o teu povo será o meu povo, e o teu Deus, o meu Deus". Digam como ela disse e façam como ela fez. Considerem a excelência de seu Deus e seu Salvador, a felicidade de seu povo, o estado abençoado em que estão e o triste estado em que se encontram.

Vocês, velhos pecadores, que viveram por muito tempo a serviço de Satanás, recentemente viram alguns que estavam com vocês, que viajaram nos caminhos do pecado por muitos anos, que desfrutaram de grandes meios e vantagens, que receberam chamados e advertências, que passaram com vocês momentos notáveis do derramamento do Espírito de Deus neste lugar, endurecendo o coração e se destacando com vocês em pecado. Eu afirmo, vocês viram alguns deles se voltando para Deus, ou seja, viram essas evidências neles, de onde podem racionalmente julgar que é verdade. Oh, que não seja uma despedida final! Vocês estiveram tanto tempo juntos no pecado e sob condenação; que tenham a firme resolução de que, se possível, ainda estarão com eles. Agora que eles estão em um estado santo e feliz, que vocês os sigam até a terra santa e agradável.

Vocês que têm buscado a salvação há muitos anos, embora, sem dúvida, sem muita vontade, em comparação com o que deveriam ter feito, viram alguns que estiveram com vocês, que eram antigos pecadores e antigos buscadores, obtendo misericórdia. Deus os despertou de seus entorpecimentos e minuciosamente alterou a sua obra. Agora, depois de tanto tempo, ouviram a voz de Deus e escaparam para se refugiarem na Rocha das Eras. Deixem isso despertar esta séria resolução em vocês. Decidam que não os deixarão.

Vocês, que estão na juventude, quantos viram pessoas da sua idade e posição que, recentemente, tinham a esperança de terem escolhido Deus como seu Deus e Cristo como seu Salvador! Vocês os seguiram em pecado e talvez os tenham seguido em vã companhia; e agora não os seguirão até Cristo?

E vocês, filhos, ultimamente tem havido alguns de seu grupo que se arrependeram dos seus pecados, amaram o Senhor Jesus Cristo, confiaram Nele e se tornaram filhos de Deus, como temos motivos para esperar. Deixem que isso mexa com vocês a fim de decidirem verdadeiramente procurar e clamar a Deus, para que tenham a mesma mudança em seu coração, para que o povo deles seja o povo de vocês, e o Deus deles, o Deus de vocês.

Vocês, que são grandes pecadores, que se tornaram distintamente culpados pelas práticas iníquas em que viveram, há alguns que viviam a mesma situação de vocês, que ultimamente (como temos motivos de esperar) tiveram o coração partido pelo pecado e os abandonaram, confiando no sangue de Cristo para o perdão, escolhendo uma vida santa e se apegando aos caminhos da sabedoria. Animem-se e tenham coragem de se apegar a eles de modo resoluto e a segui-los sinceramente.

Consideremos aqui as seguintes coisas:

1. Que suas almas são tão preciosas quanto as deles. São imortais como as deles, têm a mesma necessidade de felicidade e também podem suportar tão mal a miséria eterna como a deles. Vocês nasceram na mesma condição miserável que eles, tendo a mesma ira de Deus habitando em vocês. Por isso devem estar diante do mesmo Juiz, que será tão rigoroso no julgamento com vocês quanto com eles; e a sua própria justiça não os colocará mais diante dele do que dos outros; assim, vocês têm a necessidade absoluta de um Salvador, como eles

também. As confidências carnais não podem responder mais ao seu fim do que as deles; nem esse mundo ou seus prazeres servem para fazer vocês felizes sem Deus e Cristo mais do que eles. Quando o noivo chega, as virgens tolas precisam tanto de óleo quanto as sábias, segundo o início de Mt 25.

2. A menos que os sigam ao se voltarem para Deus, a conversão deles será o início de uma eterna separação entre vocês e eles. Vocês terão diferentes interesses e estarão em diferentes estados, enquanto viverem; eles são os filhos de Deus e vocês, os filhos de Satanás; vocês se separarão no outro mundo. Quando morrerem, haverá uma grande separação entre vocês: "E, além de tudo, está posto um grande abismo entre nós e vós, de sorte que os que querem passar daqui para vós outros não podem, nem os de lá passar para nós" (Lc 16,26). Vocês serão separados no dia do julgamento. Vocês se separarão na primeira aparição de Cristo nas nuvens do céu. Enquanto eles estarão em cima das nuvens para encontrar o Senhor nos ares, para estarem sempre com o Senhor, vocês permanecerão embaixo, confinados a esse terreno amaldiçoado, que é mantido inerte, reservado ao fogo, até o dia do julgamento e perdição dos homens ímpios. Vocês aparecerão separados deles enquanto estiverem diante do grande tribunal; eles estarão à direita, ao passo que vocês, à esquerda: "E todas as nações serão reunidas em Sua presença, e Ele separará uns dos outros, como o pastor separa dos cabritos as ovelhas; e porá as ovelhas à sua direita, mas os cabritos, à esquerda" (Mt 25,32-33). Vocês aparecerão em circunstâncias extremamente diferentes. Enquanto estiverem com demônios, terão a imagem e a deformidade dos demônios, e com horror e assombro inefáveis, eles aparecerão em glória, sentados em tronos, como assessores de Cristo e, como tais, julgando vocês (1 Co 6,2) E que vergonha e confusão cobrirão vocês, quando tantos de seus contemporâneos, seus iguais, seus vizinhos, parentes

e companheiros serão honrados e abertamente reconhecidos e confessados pelo glorioso Juiz do universo e redentor dos santos, e serão vistos por vocês sentados com Ele em tal glória, enquanto vocês parecerão ter negligenciado sua salvação, não tendo melhorado suas oportunidades, rejeitando o Senhor Jesus Cristo, a mesma pessoa que aparecerá como seu grande Juiz, e vocês estarão sujeitos à ira, por assim dizer, pisados em eterno desprezo e desgraça! "Uns para a vida eterna, e outros para vergonha e horror eterno" (Dn 12,2). E que grande separação a sentença então passada e executada fará entre vocês e eles! Quando forem expulsos da presença do Juiz com indignação e aversão, como criaturas amaldiçoadas e repugnantes, eles serão docemente abordados e convidados para sua glória como seus queridos amigos, abençoados por seu Pai! Quando vocês, com toda aquela vasta multidão de homens e demônios perversos e amaldiçoados, descerem com lamentos altos e gritos horríveis para aquele terrível abismo de fogo e enxofre, sendo tragados por aquela grande e eterna fornalha, eles alegremente e com doces cânticos de glória e louvor ascenderão com Cristo, e com toda aquela companhia bela e abençoada de santos e anjos, em felicidade eterna, na presença gloriosa de Deus e nos doces abraços de seu amor. Vocês e eles passarão a eternidade em uma separação e em circunstâncias imensamente diferentes! E isso por mais que vocês estivessem intimamente familiarizados e praticamente parentes, intimamente unidos e mutuamente ligados aqui neste mundo, e por mais que vocês tenham se deleitado na companhia uns dos outros! Será que depois de estarem juntos por um bom tempo, cada um de vocês se destruindo, aumentando sua culpa e acumulando ira, e eles tão sabiamente mudando de ideia e de curso e escolhendo tanta felicidade para si mesmos, deveria agora ser o começo de uma separação tão grande e eterna entre vocês e eles? Quão terrível será se separarem!

3. Considerem o grande encorajamento que Deus lhes dá, esforçando-se sinceramente pela mesma bênção que outros obtiveram. Há um grande incentivo na palavra de Deus para que os pecadores busquem a salvação, na revelação que temos da abundante provisão feita para a salvação, mesmo para o pior dos pecadores, e na nomeação de tantos meios para serem usados com e pelos pecadores, a fim de sua salvação, e pela bênção que Deus em sua palavra conecta com os meios de sua nomeação. Portanto, existe um grande incentivo a todos, em qualquer momento, para que sejam minuciosos no uso desses meios. No entanto, agora Deus dá extraordinário encorajamento em sua providência, derramando seu Espírito tão extraordinariamente entre nós, e trazendo para sua casa todos os tipos de salvação para todos, jovens e velhos, ricos e pobres, sábios e imprudentes, sóbrios e cruéis, velhos buscadores hipócritas e os que vivem de modo devasso; nenhum tipo está isento. Atualmente, existe entre nós o chamado mais alto, o maior encorajamento e a porta mais larga aberta aos pecadores, para escaparem de um estado de pecado e condenação que talvez Deus já tenha concedido na Nova Inglaterra. Quem por acaso tem uma alma imortal tão embriagada a ponto de não desenvolver essa oportunidade, e que não se agite com todas as suas forças agora? Quão irracional é a negligência, e quão excessivamente atípico é o desânimo, em um dia como este! Vocês serão tão estúpidos a ponto de negligenciarem sua alma agora? Será que algum mortal entre nós será tão irracional a ponto de ficar para trás, ou olhar para trás com desânimo quando Deus abrir uma porta assim? Que todas as pessoas estejam completamente acordadas! Que cada um incentive a si mesmo a seguir em frente e voar por sua vida!
4. Considerem o quão sinceramente desejosos estão aqueles que conseguiram que vocês os sigam, que o povo deles seja o seu povo, e o Deus deles, seu Deus. Eles desejam que vocês participem do grande bem que Deus lhes deu e da bênção indescritível e eterna que

Ele lhes prometeu. Eles desejam e anseiam por isso. Se não forem com eles e não participarem da companhia deles, não será por falta de vontade deles, mas por sua própria vontade. O modo de falar de Moisés a Hobabe é a linguagem de todo santo verdadeiro que vocês conhecem: "Estamos de viagem para o lugar de que o Senhor disse: Dar-vo-lo-ei; vem conosco, e te faremos bem, porque o Senhor prometeu boas coisas a Israel" (Nm 10,29). Do mesmo modo que Moisés, quando viajava pelo deserto, seguindo a coluna de nuvem e fogo, convidou Hobabe, o qual ele conhecia e com quem quase se aliou para sair da terra de Midiã, onde Moisés anteriormente havia morado com ele, para ir com ele e seu povo a Canaã a fim de compartilhar com eles o bem que Deus lhes havia prometido. Da mesma maneira que seus amigos e conhecidos os convidam, de uma terra de trevas e iniquidades, onde anteriormente estiveram com vocês, para irem com eles para a Canaã celestial. A companhia dos santos, a verdadeira igreja de Cristo, convida vocês. A adorável noiva os chama para a ceia do casamento. Ela tem autoridade para chamar convidados para seu próprio casamento, e vocês devem considerar o convite e o desejo dela como o chamado de Cristo, o noivo, pois é a voz do seu Espírito nela: "O Espírito e a noiva dizem: Vem!" (Ap 22,17). Onde parece haver uma referência ao que foi dito em: "São chegadas as bodas do Cordeiro, cuja esposa a si mesma já se ataviou, pois lhe foi dado vestir-se de linho finíssimo, resplandecente e puro. Porque o linho finíssimo são os atos de justiça dos santos. Então, me falou o anjo: Escreve: Bem-aventurados aqueles que são chamados à ceia das bodas do Cordeiro" (Ap 19,7-9). É com relação a isso, na ceia de seu casamento, que ela, pelo movimento do Espírito do Cordeiro nela, diz: "Vem". Portanto, vocês são convidados unanimemente; todos conspiram para chamar vocês. Deus Pai os convida: Esse é o rei que preparou um casamento para seu filho, e Ele envia seus servos, os ministros do evangelho, para chamar os convidados.

O próprio Filho os convida: é Ele quem fala: "Aquele que ouve, diga: Vem! Aquele que tem sede venha, e quem quiser receba de graça a água da vida" (Ap 22,17). Ele nos diz quem Ele é no versículo anterior: "Eu, Jesus, enviei o meu anjo para vos testificar estas coisas às igrejas. Eu sou a Raiz e a Geração de Davi, a brilhante Estrela da manhã". Os ministros de Deus convidam vocês, e toda a igreja convida vocês. Haverá alegria na presença dos anjos de Deus na hora em que aceitarem o convite.

5. Considerem como essa companhia ficará triste ao ser deixada após o término desse extraordinário tempo de misericórdia. Temos motivos para pensar que restarão alguns. Lemos que, quando as águas curativas de Ezequiel aumentaram tão abundantemente, seu efeito curativo foi muito amplo. Todavia, em certos lugares onde a água veio, nunca houve cura: "Toda criatura vivente que vive em enxames viverá por onde quer que passe este rio, e haverá muitíssimo peixe, e, aonde chegarem estas águas, tornarão saudáveis as do mar, e tudo viverá por onde quer que passe este rio. Junto a ele se acharão pescadores; desde En-Gedi até En-Eglaim haverá lugar para se estenderem redes; o seu peixe, segundo as suas espécies, será como o peixe do mar Grande, em multidão excessiva. Mas os seus charcos e os seus pântanos não serão feitos saudáveis; serão deixados para o sal" (Ez 47,9-11). Mesmo nos tempos dos apóstolos, quando houve um sucesso tão maravilhoso do evangelho, ainda sim, onde quer que fossem, havia alguns que não acreditavam: "Os gentios, ouvindo isto, regozijavam-se e glorificavam a Palavra do Senhor, e creram todos os que haviam sido destinados para a vida eterna" (At 13,48). Em: "Houve alguns que ficaram persuadidos pelo que Ele dizia; outros, porém, continuaram incrédulos" (At 28,24). Portanto, não temos motivos para não acreditar que alguns entre nós serão deixados. Espera-se que seja uma companhia pequena. Mas que companhia triste será essa! Quão sombriamente e terrivelmente eles

serão considerados! Se vocês pertencerem a essa companhia, quantos dos seus amigos e parentes lamentarão por vocês e chorarão por suas circunstâncias sombrias e perigosas! Se não querem ser um deles, apressem-se, não demorem e não olhem para trás. Todos os tipos de pessoas se esforçarão para entrar no reino de Deus e conseguirão entrar, enquanto vocês ficam para trás vagando em uma triste e perdida condição? Todos escolherão o céu, enquanto vocês permanecem com nada mais senão este mundo? Pois bem, tenham essa resolução: se possível, apeguem-se àqueles que escaparam para se refugiar, para se apossar da esperança que lhes é apresentada. Levem em conta o custo de uma busca completa, violenta e perpétua pela salvação e abandonem tudo, pois Rute abandonou seu próprio país e todos os seus prazeres agradáveis. Não façam como Orfa fez, que partiu, desanimou e voltou. Suportem com Rute em meio a todo o desânimo e oposição. Quando considerarem outras pessoas que escolheram a melhor parte, deixem esta resolução sempre firme com vocês: "Aonde quer que fores, irei Eu e, onde quer que pousares, ali pousarei Eu; o teu povo é o Meu povo, o teu Deus é o Meu Deus".

AS MUITAS MORADAS

"Na casa de meu Pai há muitas moradas", (Jo 14,2).

Nestas palavras podem ser observadas duas coisas:
1. A coisa descrita, a saber, a casa do Pai de Cristo. Cristo falou aos seus discípulos no capítulo anterior como alguém que estava prestes a deixá-los. Ele disse a eles: "Agora, foi glorificado o Filho do Homem, e Deus foi glorificado Nele" (Jo 13,31), e depois vai dar a eles conselhos para viver em unidade e amar um ao outro, como alguém que estava se despedindo deles. Por causa disso, pareciam um tanto surpresos e mal conseguiam compreender. Um deles, Pedro, perguntou-lhe para onde estava indo: "Perguntou-lhe Simão Pedro: Senhor, para onde vais?" (Jo 13,36) Cristo não respondeu diretamente dizendo para onde estava indo, mas mostra o local nessas palavras do texto, a saber, para a casa de seu Pai, ou seja, para o Céu, e depois, em Jo 14,12, lhes diz claramente que estava indo para seu Pai.
2. Podemos observar a descrição dada, a saber, que nela existem muitas moradas. Os discípulos pareciam muito tristes com a notícia da morte de Cristo, mas Cristo os conforta, dizendo que na casa de seu

Pai, para onde estava indo, não havia apenas espaço para Si, mas também para eles. Havia muitas moradas. Não havia apenas uma morada para Ele, mas havia moradas suficientes para todos; havia espaço suficiente no Céu para eles. Quando os discípulos perceberam que Cristo estava indo embora, manifestaram um grande desejo de irem com Ele, particularmente Pedro. Na parte final do capítulo anterior, Pedro perguntara para onde Ele estava indo embora a fim de que pudesse segui-Lo. Cristo lhe disse que para onde ia ele não podia segui-Lo agora, mas que deveria segui-Lo depois. Mas Pedro, não contente com Cristo, parecia determinado em segui-Lo agora. "Senhor", diz ele, "Por que não posso seguir-Te agora?". Os discípulos ainda queriam muito ficar com Cristo, e Cristo, nas palavras do texto, sugere que estariam com Ele. Cristo mostra a eles que estava indo para a casa de seu Pai e os encoraja, dizendo que estarão com Ele naquele lugar no devido tempo, pois lá havia muitas moradas. Havia uma morada fornecida não apenas para Ele, mas para todos eles (pois Judas não estava presente), e não apenas para eles, mas para todos os que acreditariam Nele até o fim do mundo; e, apesar de ter ido antes, Ele apenas foi preparar um lugar para os que viriam depois Dele.

O texto é uma frase simples. Portanto, é desnecessário forçar qualquer doutrina em outras palavras a fim de que construa meu discurso sobre as palavras do texto. Existem duas proposições contidas nas palavras, a saber: I, que o Céu é a casa de Deus, e II, que nessa casa de Deus há muitas moradas.

Proposição I. O Céu é a casa de Deus. Uma casa de culto público é uma casa onde o povo de Deus se reúne de tempos em tempos para assistir às ordenanças de Deus, sendo designada para isso e chamada de casa de Deus. O templo de Salomão foi chamado de casa de Deus. Deus foi representado como morando nela. Lá Ele tinha seu trono no Santo dos Santos, até mesmo o propiciatório sobre a Arca e entre os querubins.

Às vezes, todo o universo é representado nas Escrituras como a casa de Deus, construída com várias histórias uma sobre a outra: "Deus é o que edifica as suas câmaras no céu" (Am 9,6) e: "Pões nas águas o vigamento da tua morada" (Sl 104,3). Contudo, o Céu mais alto é especialmente representado nas Escrituras como a casa de Deus. Quanto às outras partes da criação, Deus as designou para usos inferiores, mas essa parte reservou para si mesmo para sua própria morada. Dizem-nos que os céus são do Senhor, mas a terra foi dada por Ele aos filhos dos homens. Deus, embora esteja presente em todos os lugares, é representado tanto no Antigo Testamento quanto no Novo como estando no Céu de uma maneira especial e peculiar. O Céu é o templo de Deus. Assim, lemos sobre o templo de Deus no Céu, (Ap 15,5). O templo de Salomão era um tipo de Céu; foi feito extremamente magnífico e em parte dispendioso para esse fim, a fim de que pudesse ser o tipo de Céu mais vivo. O apóstolo Paulo, em sua epístola aos hebreus, de tempos em tempos chama o Céu de Santo dos Santos, como sendo o antítipo não apenas do templo de Salomão, mas também do lugar mais sagrado naquele templo, que era o lugar da residência mais imediata de Deus: "Entrou no Santo dos Santos, uma vez por todas" (Hb 9,12); "Porque Cristo não entrou em santuário feito por mãos humanas, figura do verdadeiro, porém no mesmo Céu" (Hb 9,24). Casas onde assembleias de cristãos adoram a Deus são, em alguns aspectos, figuras dessa casa de Deus acima. Quando Deus é adorado nelas em espírito e verdade, elas se tornam as obras do Céu como se fossem seus portões. Do mesmo modo que nas casas de culto público aqui, há assembleias de cristãos reunidos para adorar a Deus. Assim, no Céu, há uma assembleia gloriosa, ou igreja, continuamente a adorar a Deus: "Mas tendes chegado ao monte Sião [e à] cidade do Deus vivo, a Jerusalém celestial, e a incontáveis hostes de anjos, e à universal assembleia e igreja dos primogênitos arrolados nos céus" (Hb 12,22-23).

O Céu é representado nas Escrituras como a habitação de Deus: "Quem há semelhante [ao] Senhor, nosso Deus, cujo trono está nas alturas...?" (Sl 113,5) e: "A Ti, que habitas nos céus, elevo os olhos!" (Sl 123,1). O Céu é o palácio de Deus. É a casa do grande rei do universo; lá Ele tem seu trono, que é, portanto, representado como sua casa ou templo: "O Senhor está no seu santo templo; nos céus tem o Senhor seu trono" (Sl 11,4).

O Céu é a casa onde Deus mora com Sua família. Deus é representado nas Escrituras como tendo uma família, embora parte dessa família esteja agora na terra, e ainda que esteja no exterior e não em casa, mas voltando para casa: "De quem toma o nome toda família, tanto no Céu como sobre a terra" (Ef 3,15). O Céu é o lugar que Deus construiu para Ele e seus filhos. Deus tem muitos filhos, e o lugar designado para eles é o Céu. Portanto, diz-se que os santos, sendo filhos de Deus, são da família de Deus: "Assim, já não sois estrangeiros e peregrinos, mas concidadãos dos santos, e sois da família de Deus" (Ef 2,19). Deus é representado como dono de casa ou chefe de família, e o Céu é Sua casa.

O Céu é a casa não apenas onde Deus tem seu trono, mas também onde mantém sua mesa, onde seus filhos se sentam com Ele à mesa e onde são banqueteados de maneira real, tornando-se filhos de tão grandioso Rei: "Para que comais e bebais à minha mesa no meu reino", Lc 22,30; "E digo-vos que, desta hora em diante, não beberei deste fruto da videira, até aquele dia em que o hei de beber, novo, convosco no reino de meu Pai" (Mt 26,29).

Deus é o Rei dos Reis, e o Céu é o lugar onde mantém sua corte. Existem anjos e arcanjos que, como os nobres de sua corte, o atendem.

Proposição II. Existem muitas moradas na casa de Deus. Por muitas moradas quer-se dizer muitos assentos ou locais de residência. Como é o palácio de um rei, existem muitas moradas. As casas dos reis costumam ser construídas muito grandes, com muitos quartos e apartamentos imponentes. Portanto, existem muitas moradas na casa de Deus.

Quando se fala do Céu, isso deve ser entendido principalmente em sentido figurado, e as seguintes coisas podem ser compreendidas a respeito dele.

1. Há espaço nessa casa de Deus para uma grande multidão. Há espaço no Céu para uma vasta multidão, de fato, espaço suficiente para toda a humanidade que existe ou existirá: "Senhor, feito está como mandaste, e ainda há lugar" (Lc 14,22).

Ao templo celestial não se aplica o que costuma acontecer nas casas de culto público neste mundo, que se enchem e se tornam muito pequenas para aqueles que as frequentam, fazendo com que não haja lugares para todos. Há espaço suficiente na casa de nosso Pai Celestial. Isso é em parte o que Cristo pretendeu nas palavras do texto, como é evidente a partir da ocasião em que as falou. Os discípulos manifestaram um grande desejo de estar onde Cristo estava, e Ele, portanto, para incentivá-los a que fosse como eles desejavam, diz a eles que na casa de seu Pai para onde Ele ia havia muitas moradas, isto é, espaço suficiente para eles.

Há misericórdia suficiente em Deus para admitir uma multidão inumerável no Céu. Há misericórdia suficiente para todos, e há mérito suficiente em Cristo para comprar a felicidade celestial para milhões de milhões, para todos os homens que já foram, são ou serão. E há suficiência na fonte da felicidade do Céu para suprir, preencher e satisfazer a todos; e em todos os aspectos há o suficiente para a felicidade de todos.

2. Existem acomodações suficientes e adequadas para todos os diferentes tipos de pessoas que existem no mundo: para grandes e pequenos, altos e baixos, ricos e pobres, sábios e imprudentes, escravos e livres, pessoas de todas as nações e de todas as condições e circunstâncias, para aqueles que têm sido grandes pecadores, bem como para aqueles com uma vida moralmente correta, para santos fracos e aqueles que são crianças em Cristo, bem como para aqueles que são mais fortes e mais crescidos em graça. Existe no céu uma suficiência para a felicidade de todo tipo. Existe uma acomodação conveniente para toda criatura que ouvir os chamados do evangelho. Ninguém que venha a Cristo, independentemente de sua condição, precisa temer, pois Cristo proporcionará um lugar adequado para ele no Céu.

Isso parece ser outra coisa implícita nas palavras de Cristo. Os discípulos eram pessoas em condições muito diferentes das de Cristo; Ele era o mestre deles, e eles eram seus discípulos; Ele era o Senhor deles, e eles eram os servos; Ele era o guia de seus discípulos e eles eram os seguidores; Ele era o capitão deles, e eles, os soldados; Ele era o pastor, e eles, as ovelhas; [Ele era, por assim dizer,] o Pai, e eles, os filhos; Ele era o glorioso, santo Filho de Deus, eles eram homens pobres, pecadores e corruptos. Contudo, apesar de estarem em circunstâncias tão diferentes das Dele, Cristo os encoraja dizendo que não haverá espaço no Céu somente para si, mas também para eles, pois havia muitas moradas lá. Não havia apenas uma morada para acomodar o Senhor, mas também para os discípulos; não apenas a cabeça, mas os membros; não apenas o Filho de Deus, mas aqueles que são naturalmente pobres, pecadores e corruptos. Da mesma maneira que em um palácio de um rei, não há apenas uma morada ou salão nobre construídos para o próprio rei e para seu filho e herdeiro mais velho, mas há muitos quartos, moradas para todos os seus numerosos familiares, filhos, atendentes e servos.

3. Está ainda implícito que o Céu é uma casa que foi realmente construída e preparada para uma grande multidão. Quando Deus criou o Céu no início do mundo, Ele o pretendeu como uma morada eterna para uma vasta e inumerável multidão. Quando o Céu foi criado, foi planejado e preparado para todas as pessoas que Deus tinha, desde a eternidade, designado para salvar: "Vinde, benditos [de meu Pai! Entrai na posse do reino] que vos está preparado [desde a fundação do mundo]" (Mt 25,34). Essa é uma multidão muito grande e inumerável: "Depois destas coisas, vi, e eis grande multidão que ninguém podia enumerar, de todas as nações, tribos, povos e línguas, em pé diante do trono e diante do Cordeiro, vestidos de vestiduras brancas, com palmas nas mãos" (Ap 7,9). O Céu foi construído de maneira planejada de acordo com eles; foi construído da maneira mais conveniente para acomodar toda essa multidão, como uma casa que é construída para uma grande família, espaçosa e com

muitos cômodos; como um palácio construído para um grande rei, que mantém uma grande corte com muitos assistentes, bem feita e com muitos cômodos; como uma casa de culto público, construída para uma grande congregação, é feita muito grande, possuindo muitos assentos.

4. Quando se diz ["Na casa de meu Pai há muitas moradas"], significa que existem assentos de várias dignidades e diferentes graus e circunstâncias de honra e felicidade. Existem muitas moradas na casa de Deus porque o Céu é destinado a vários graus de honra e bem-aventurança. Alguns são projetados para se sentarem em lugares mais altos do que outros; alguns são projetados para serem avançados em graus mais altos de honra e glória do que outros. Portanto, existem várias moradas, e algumas moradas e assentos são mais honoráveis no Céu do que outros. Embora todos sejam lugares de desmedida honra e bem-aventurança, alguns são mais do que outros.

Assim, um palácio é construído. Embora cada parte do palácio seja magnífica como é o palácio de um rei, ainda existem muitos aposentos de várias honras, e alguns são mais imponentes e caros do que outros, de acordo com o grau de dignidade. Há um aposento que é a câmara de presença do rei; existem outros aposentos para o próximo herdeiro da coroa; existem outros para outros filhos; e outros para seus assistentes e para os grandes oficiais da casa: um para o mordomo supremo e outro para o camareiro, outros para oficiais e servos menores.

Outra imagem disso se encontra no templo de Salomão. Havia nele muitas moradas de diferentes graus de honra e dignidade. Havia o Santo dos Santos, onde estava a Arca, o local da residência imediata de Deus, onde somente o sumo sacerdote podia vir, e havia outro aposento chamado lugar santo, onde os outros sacerdotes podiam vir. Ao lado estava a quadra interna do templo, onde os levitas eram admitidos; ali eles tinham muitas câmaras ou moradas construídas para alojamentos dos sacerdotes. Próximo estava a corte de Israel, onde o povo de Israel podia vir; e perto estava a corte dos gentios, onde os gentios, aqueles que eram chamados de "Prosélitos de Portão"[23], podiam vir.

Temos uma imagem disso em casas construídas para o culto das assembleias cristãs. Nessas casas de Deus, existem muitos lugares de diferentes honras e dignidades, das mais honradas às mais inferiores da congregação.

Não que devamos entender as palavras de Cristo tanto em um sentido literal como se todo santo no Céu devesse ter um certo assento, sala ou local de residência onde se fixaria localmente. Não é o objetivo das Escrituras nos informar muito sobre as circunstâncias externas do Céu ou o estado do Céu considerado localmente. Todavia, devemos entender o que Cristo diz principalmente em sentido espiritual. As pessoas serão colocadas em diferentes graus de honra e glória no Céu, como é abundantemente manifestado nas Escrituras, o que pode ser adequadamente representado em nossa imaginação por haver diferentes assentos de várias honras, como no templo e nas cortes dos reis. Alguns assentos devem estar mais próximos do trono do que outros. Alguns se sentarão ao lado de Cristo em glória: "O assentar-se à minha direita e à minha esquerda não me compete concedê-lo; é, porém, para aqueles a quem está preparado por meu Pai" (Mt 20,23).

Cristo sem dúvida se refere a esses diferentes graus de glória no texto. Quando estava indo ao Céu e os discípulos ficaram tristes com a ideia de se separarem de seu Senhor, Ele os informou de que havia assentos ou moradas de vários graus de honra na casa de seu Pai, de que não havia apenas um para Ele, que era o chefe da igreja e o irmão mais velho, mas também para aqueles que eram seus discípulos e irmãos mais novos.

Cristo provavelmente também pode se referir não apenas a diferentes graus de glória no céu, mas a diferentes circunstâncias. Embora a ocupação e a felicidade de toda a assembleia celestial sejam, em geral, os

---

[23] O termo *prosélito* é de origem grega e designa os convertidos ao judaísmo que antes professavam outras religiões. (N.T.)

mesmos, não é improvável que haja diferença circunstancial. Sabemos qual [é] a ocupação deles em geral, mas não em particular. Não sabemos como alguém pode ocupar-se em preservar e promover a felicidade do outro, e todos ajudando-se mutuamente. Alguns podem ser colocados em um lugar para um cargo ou trabalho, e outros [em] outro, do mesmo modo que na Igreja na terra. Deus pôs cada um no corpo como quis; um é o olho, outro a orelha, outro a cabeça, etc. Porém, como Deus não quis expressamente revelar como serão as coisas nesse sentido, não insistirei nisso, mas passarei a fazer um desenvolvimento daquilo que foi oferecido.

DESENVOLVIMENTO

Aqui está o encorajamento para os pecadores que estão preocupados e empenhados na salvação de sua alma, pois temem que nunca poderão ir para o Céu ou ser admitidos em qualquer lugar para morar lá, e são sensatos quanto a se encontrarem até o momento em um estado e condição tristes por estarem fora de Cristo e, assim, sem direito a nenhuma herança no Céu, correndo o risco de irem para o inferno e terem seu lugar de morada eterna fixado ali. Vocês podem ter sido encorajados pelo que foi dito a procurarem o Céu sinceramente, pois há muitas moradas lá. Há espaço suficiente ali. Seja qual for sua situação, existe uma provisão adequada para vocês. Se virem a Cristo, não precisam temer, pois Ele preparará um lugar para vocês; Ele fará com que sejam bem acomodados no céu.

Com relação à II, eu desenvolveria essa doutrina em uma exortação dupla:
1. Que todos sejam, assim, exortados sinceramente a buscar a possibilidade de ser admitidos em uma morada no Céu. Vocês já ouviram falar que essa é a casa de Deus; é o templo Dele. Se Davi, quando

estava no deserto de Judá, na terra de Gesur e dos filisteus, desejou tanto voltar à terra de Israel para poder ter um lugar na casa de Deus aqui na terra, e valorizava tanto um lugar lá, mesmo que fosse o de um porteiro, que grande felicidade será ter um lugar nesse templo celestial de Deus! Se eles são vistos como desfrutando de um alto privilégio por terem um assento designado na corte dos reis ou em aposentos nos palácios dos reis, especialmente aqueles que têm uma morada ali na qualidade de filhos do rei, então que grande privilégio será ter um aposento ou morada designado para nós no palácio celestial de Deus e ter um lugar lá como seus filhos! Quão grande é a glória e a honra de ser admitido como membro da família de Deus!

E, vendo que existem muitas moradas lá, moradas suficientes para todos nós, nossa loucura será maior se deixarmos de procurar um lugar no Céu, tendo nossa mente focada tolamente em coisas inúteis e efêmeras deste mundo. Nesse sentido, considerem três coisas:

(1) Por quão pouco tempo vocês podem ter qualquer morada ou local de residência neste mundo. Agora vocês têm uma habitação entre os vivos. Vocês têm uma casa ou morada própria, ou pelo menos uma que existe atualmente para seu uso, e agora vocês têm um assento na casa de Deus; mas isso vai continuar por pouquíssimo tempo! Daqui a pouco, o lugar que agora os conhece neste mundo não os conhecerá mais. A habitação que vocês têm aqui ficará sem vocês; serão levados mortos para fora dela, ou morrerão a uma distância dela, e nunca mais entrarão nela ou em qualquer outra morada neste mundo. Sua morada ou local de residência neste mundo, por mais conveniente ou cômoda que seja, é apenas uma tenda que será demolida em breve, uma palhoça em um pepinal[24]. Sua estadia é como se fosse por uma noite. Seus próprios corpos são apenas casas de barro que rapidamente apodrecerão e tombarão, e não terão outra habitação aqui neste mundo a não ser a sepultura.

---

24 Cf. Is 1,8. (N.T.)

Assim, Deus em sua providência os está lembrando dos repetidos casos de morte que ocorreram na cidade nas duas semanas passadas, duas delas em uma casa, na qual pela morte Ele mostrou seu domínio sobre idosos e jovens. O filho foi levado primeiro diante do pai, estando com todo seu vigor e na flor dos seus dias; o pai, que estava bem e não aparentando se aproximar da morte, foi em poucos dias. Sua habitação e sede na casa de Deus neste mundo não os conhecerão mais.

Observem essas advertências da Providência para aproveitarem seu tempo a fim de que possam ter uma morada no Céu. Temos entre nós uma casa de culto recém-criada, na qual agora vocês estão sentados e provavelmente felizes com seus ornamentos. Embora tenham um lugar em uma casa tão agradável, ainda assim não sabem por quanto tempo terão um lugar nessa casa de Deus. Eis aqui um casal arrebatado pela morte que esteve nela apenas algumas vezes, sendo ambos arrancados dela antes que estivesse totalmente concluída e que não mais se sentarão aqui. Vocês não sabem em quanto tempo os seguirão, então será de grande importância para vocês que se sentem na casa de Deus lá em cima. As duas pessoas recentemente falecidas estavam, em seu leito de morte, alertando os outros a aproveitarem seu tempo precioso. A primeira delas queria muito expressar seu senso da vasta importância de um interesse em Cristo, como eu testemunhei, e foi sincera em convidar outras pessoas a aproveitarem seu tempo, a serem minuciosas, a se interessarem por Cristo, parecendo muito desejosa de que os jovens pudessem receber seus conselhos e suas advertências como as palavras de um homem moribundo, para que fizessem o máximo a fim de garantir a conversão. Um pouco antes de ele morrer, deixou-me um pedido em seu quarto para que eu advertisse os jovens. Deus advertiu vocês em sua morte e na morte de seu pai, que aconteceu logo em seguida. As palavras de pessoas que estão morrendo devem ter um peso especial sobre nós, pois elas estão em circunstâncias em que são mais capazes de encarar as coisas como elas são e de julgá-las corretamente, entre os dois mundos. Devemos ainda mais levá-las em consideração.

Que nossos jovens, portanto, tomem a advertência a partir de agora, e não sejam tolos a ponto de deixarem de procurar um lugar e uma moradia no Céu. Os jovens são especialmente aptos a ser atraídos pelas coisas agradáveis deste mundo. Talvez vocês estejam agora muito satisfeitos com as esperanças de suas futuras circunstâncias neste mundo; [e, talvez, vocês estejam agora muito] satisfeitos com os ornamentos daquela casa de culto em que vocês e os outros têm um lugar. No entanto, infelizmente, será que vocês não pensam quão cedo poderão ser afastados de todas essas coisas e não terão mais, para sempre, qualquer parte em qualquer morada ou casa, prazer ou felicidade debaixo do Sol? Portanto, que seja o seu principal cuidado garantir uma habitação eterna para o futuro.

(2) Pensem que, quando morrerem, se não tiverem uma morada na casa de Deus no Céu, deverão ter seu lugar de morada na habitação dos demônios. Não há meio-termo entre eles e, quando deixarem este local, irão a um desses lugares. Alguns têm uma morada preparada no céu desde a fundação [do mundo]; outros são mandados embora como amaldiçoados na combustão eterna preparada pelo [diabo e seus anjos]. Considere o quão miseráveis devem ser aqueles que terão sua habitação com demônios por toda a eternidade. Demônios são espíritos imundos; os grandes inimigos de Deus. A habitação deles é a escuridão das trevas, um lugar de extrema imundície, abominação, escuridão, desgraça e tormento. Oh, como vocês prefeririam dez mil vezes não ter nenhum lugar para morar, nem existirem, do que ter um lugar [com demônios]!

(3) Se morrerem sem se converter, terão o pior lugar no inferno por terem tido um assento ou lugar na casa de Deus neste mundo. Como existem muitas moradas, lugares de diferentes graus de honra no Céu, também existem várias moradas e lugares ou graus de tormento e miséria no inferno; e esses terão o pior lugar lá [morrendo não convertidos, tiveram o melhor lugar na casa de Deus aqui]. Salomão fala de uma visão particularmente horrível que tivera, a de

um homem mau sepultado que tinha deixado [o lugar santo], (Ec 8,10). Os que se sentaram na casa de Deus em certo sentido foram exaltados para o Céu, colocados na porta do céu, [se morrerem não convertidos, serão] jogados no inferno.
2. A segunda exortação que ofereceria sobre o que foi dito é procurar um lugar alto no Céu. Visto que existem muitas moradas de diferentes graus de honra e dignidade no Céu, procuremos obter uma morada de glória distinta. Foi revelado a nós que existem diferentes graus de glória para esse fim e que podemos buscar os graus mais elevados. Deus ofereceu altos graus de glória para tal propósito, no intuito de podermos buscá-los por meio de eminente santidade e boas obras: "E isto afirmo: aquele que semeia pouco [pouco também ceifará; e o que semeia com fartura com abundância também ceifará]" (2 Co 9,6). Não há intenção de deixar as pessoas muito ansiosas por um lugar alto na casa de Deus neste mundo, pois essa é a honra dos homens. No entanto, não podemos buscar de modo sério demais um alto assento na casa de Deus no alto, buscando a santidade eminente, pois essa é a honra de Deus.

Vale pouquíssimo a pena buscar a honra neste mundo, onde a maior honra é apenas uma bolha que logo desaparecerá, e a morte nivelará tudo. Alguns têm casas mais imponentes do que outros, alguns ocupam cargos mais altos do que outros e alguns são mais ricos do que outros e têm assentos mais altos na igreja do que outros. Todavia, todas as sepulturas estão no mesmo nível. Um cadáver apodrecido e putrefato é tão ignóbil quanto o outro; os vermes são tão ousados com uma carcaça quanto com outra.

Mas as moradas na casa de Deus lá em cima são moradas eternas. Aqueles que têm assentos alocados ali, de maior ou menor dignidade, mais próximos ou mais distantes do trono, os manterão por toda a eternidade. Isso é prometido: "Ao vencedor, fá-lo-ei coluna no santuário [do meu Deus, e daí jamais sairá]" (Ap 3,12). Se vale a pena desejar e procurar assentos altos na igreja que vocês frequentam um dia por semana e para onde virão apenas alguns dias, se vale muito a pena dar mais valor a um assento do que a outro na casa de culto apenas porque é o banco ou a igreja que ocupa a primeira posição em número, e para ser visto aqui por alguns dias, como valerá a pena procurar uma morada alta no templo de Deus e naquele lugar glorioso que é a habitação eterna de Deus e de todos os seus filhos! Vocês, que estão satisfeitos com seus assentos nesta casa, porque estão sentados no alto ou em um lugar que é considerado honroso por aqueles que estão sentados ao redor e porque muitos podem contemplá-los, pensem em por quanto tempo desfrutarão desse prazer. E, se houver pessoas que não estejam à vontade em seus assentos, porque são muito baixos para eles, considerem que levará muito pouco tempo para que tudo seja apropriado para vocês, quer tenham se sentado em um lugar alto ou baixo aqui. Mas será uma preocupação infinita e eterna para vocês o local em que seus assentos estarão em um outro mundo. Deixem que suas grandes preocupações enquanto estiverem neste mundo sejam no sentido de melhorarem suas oportunidades na casa de Deus neste mundo, estejam no alto ou embaixo, para que possam ter uma morada distinta e gloriosa na casa de Deus no Céu, onde poderão ocupar seus lugares naquela assembleia gloriosa em um descanso eterno.

Deixem que o principal que prezemos na casa de Deus não sejam os seus ornamentos externos, ou um assento alto nela, mas a Palavra de Deus e suas ordenanças. Gastem seu tempo aqui em busca de Cristo, para que Ele possa preparar um lugar para vocês na casa de seu Pai, a fim de que, quando voltar novamente a este mundo, possa levá-los para si, para que, onde Ele estiver, ali vocês também estejam.

PECADORES NAS MÃOS DE UM DEUS IRADO

"A seu tempo, quando resvalar o seu pé", (Dt 32,35).

Nesse versículo, a vingança de Deus é uma ameaça contra os israelitas ímpios e incrédulos, os quais eram o povo visível de Deus, vivendo sob os meios da graça e que, apesar de todas as maravilhosas obras que Deus havia realizado para com esse povo, ainda permaneceu, como é expresso em Dt 32,32-33, sem conselhos, sem entendimento entre eles; além disso, sob todos os cultivos do Céu, produziu frutos amargos e venenosos; como nos dois versículos seguintes que precedem o texto.

A expressão que escolhi para o meu texto, *A seu tempo, quando resvalar o seu pé*, parece implicar as seguintes coisas relacionadas ao castigo e à destruição a que esses israelitas maus foram expostos.

1. Que eles estavam *sempre* expostos à destruição, do mesmo modo que alguém que fica em pé ou caminha em lugares escorregadios é sempre exposto à queda. Isso está implícito na maneira pela qual a destruição virá para eles, sendo representada pelo deslizamento de

seus pés. O mesmo é expresso: "Tu certamente os pões em lugares escorregadios e os fazes cair na destruição" (Sl 73,18).
2. Isso implica que eles sempre foram expostos a uma *repentina* e inesperada destruição, como quem anda em lugares escorregadios pode cair a cada momento, não podendo prever num momento se permanecerá ou se cairá no outro; quando cai, cai imediatamente, o que também é expresso: "Tu certamente os pões em lugares escorregadios e os fazes cair na destruição. Como ficam *de súbito* assolados, totalmente aniquilados de terror!" (Sl 73,18-19).
3. Outra coisa implícita é que eles são propensos a cair por *si mesmos*, sem serem jogados pela mão de outro, como quem está de pé ou anda em terreno escorregadio não precisa de nada além de seu próprio peso para derrubá-lo.
4. A razão pela qual eles já não caíram, e não caem agora, é apenas que o tempo designado por Deus não chegou. Pois é dito que, quando chegar o tempo devido, ou o tempo determinado, *seu pé deverá resvalar*. Então eles se deixarão cair, pois serão inclinados por seu próprio peso. Deus não os sustentará mais nesses lugares escorregadios, mas os deixará ir; e, então, naquele exato instante, eles cairão em destruição, como se ficassem em um terreno tão escorregadio e decadente à beira de uma cova e não conseguissem se sustentar por si mesmos, e, ao serem soltos, imediatamente caíssem e se perdessem.

A observação das palavras nas quais insisto agora é esta:

Não há nada que mantenha os homens maus a qualquer momento fora do inferno a não ser o mero prazer de Deus.

Por mero prazer de Deus, quero dizer sua vontade soberana, Sua vontade arbitrária, não contida por nenhuma obrigação, não impedida por nenhum tipo de dificuldade, nada além da mera vontade de Deus, nada mais, mesmo se existisse em grau mínimo ou em qualquer aspecto qualquer mão que auxiliasse na preservação dos homens maus por um momento.

A verdade dessa observação pode surgir pelas seguintes considerações.
1. Não há falta de *poder* em Deus para lançar homens maus ao inferno a qualquer momento. As mãos dos homens não podem ser fortes quando Deus se levanta: os mais fortes não têm poder para resistir a Ele; ninguém pode se livrar de mãos.

Ele não é apenas capaz de lançar homens maus ao inferno, mas também pode fazê-lo com total facilidade. Às vezes, um príncipe terreno encontra muita dificuldade para subjugar um rebelde que encontrou meios de se fortalecer e que fez isso graças ao número de seus seguidores. Mas não é assim com Deus. Não há fortaleza que forneça qualquer defesa contra o poder de Deus. Embora fiquem unidas, e vastas multidões dos inimigos de Deus se combinem e se associem, elas são facilmente quebradas em pedaços: são como grandes montes de palha leve diante do turbilhão ou grandes quantidades de palha seca antes de serem devoradas pelas chamas. Achamos fácil pisar e esmagar um verme que vemos rastejando na terra; é fácil cortar ou chamuscar um fio delgado pelo qual qualquer coisa fica pendurada; assim é fácil para Deus, quando quiser, lançar seus inimigos ao inferno. Quem somos nós para estarmos diante Dele, a cuja repreensão a terra treme e diante Dele as pedras são derrubadas?

2. Eles *merecem* ser lançados ao inferno para que a justiça divina nunca fique no caminho, ela não faz objeção a Deus usando seu poder a qualquer momento para destruí-los. Sim, pelo contrário, a justiça pede em voz alta um castigo infinito por seus pecados. A justiça divina diz da árvore que produz tais uvas de Sodoma: "Podes cortá-la; para que está ela ainda ocupando inutilmente a terra?", (Lc 13,7). A espada da justiça divina é a cada momento brandida sobre sua cabeça, e não é nada além da mão da misericórdia arbitrária, e a mera vontade de Deus, que a impede.

3. Eles *já* estão sentenciados a uma condenação no inferno. Não apenas merecem ser jogados lá, mas a sentença da lei de Deus, essa regra

eterna e imutável de justiça que Deus estabeleceu entre Ele e a humanidade, foi lançada contra eles e permanece contra eles, para que já estejam presos no inferno: "Quem Nele crê não é julgado" (Jo 3,18). Para que todo homem não convertido pertença devidamente ao inferno; esse é o lugar dele; daí ele é: "Vós sois cá de baixo" (Jo 8,23), e ele está preso lá; é o lugar que a justiça, a Palavra de Deus e a sentença de sua lei imutável lhe atribuem.

Eles são agora os objetos dessa *mesma* raiva e ira de Deus, que são expressas nos tormentos do inferno; a razão pela qual não descem ao inferno a cada momento não é porque Deus, em cujo poder eles estão, não esteja muito zangado com eles, tão zangado como está com muitas daquelas criaturas miseráveis que Ele agora está atormentando no inferno, e lá sentem e suportam a ferocidade de sua ira. Sim, Deus está muito mais zangado com uma grande quantidade de pessoas que estão agora na terra, sim, sem dúvida, com muitas que estão agora nesta congregação, que, por exemplo, estão à vontade e quietas, do que está com um grande número daqueles que estão nas chamas do inferno neste momento.

De modo que não é porque Deus não se importa com a maldade deles, e não se ressente, que não solta sua mão e os corta. Deus não é completamente indiferente como eles são, embora possam imaginar que Ele o seja. A ira de Deus queima contra eles; a condenação deles não dorme. O poço está preparado, o fogo está pronto; o forno agora está quente, pronto para recebê-los; as chamas agora se enfurecem e brilham. A espada cintilante é afiada e mantida sobre eles, e o poço abre sua boca sob eles.

4. O diabo está pronto para cair sobre eles e agarrá-los como se fossem seus, no momento em que Deus permitir, eles pertencerão a ele. O diabo tem a alma deles em sua posse e sob seu domínio. A Escritura os representa como seus bens, (Lc 11,21). Os demônios os observam, sempre à direita, esperando-os como leões famintos e gananciosos

que veem suas presas e esperam tê-las, mas que, no momento, estão contidos. Se Deus retirasse sua mão pela qual são reprimidos, eles voariam em um instante sobre suas pobres almas. A velha serpente está com a boca aberta para elas. O inferno abre bem a boca para recebê-las. Se Deus permitisse, seriam engolidos e perdidos.

5. Há nas almas dos homens maus aqueles *princípios* infernais reinantes que prontamente se acenderiam e queimariam no fogo do inferno se não fosse pelas restrições de Deus. Há na própria natureza dos homens carnais um fundamento para os tormentos do inferno. Existem esses princípios corruptos, no poder reinante neles e em plena posse, que são sementes do fogo do inferno. Esses princípios são ativos e poderosos, extremamente violentos em sua natureza, e, se não fosse a mão restritiva de Deus sobre eles, logo irromperiam, acabariam da mesma maneira que as mesmas corrupções, que a mesma inimizade provocada no coração de almas condenadas e gerariam os mesmos tormentos nelas que eles causam. As almas dos ímpios são comparadas nas Escrituras ao mar agitado. No presente Deus restringe a maldade deles por seu poderoso poder, como faz com as ondas furiosas do mar agitado, dizendo: "Até aqui virás e não mais adiante"[25] (Is 57,20); mas, se Deus retirasse esse poder restritivo, logo tudo aconteceria. O pecado é a ruína e a miséria da alma; é destrutivo por natureza e, se Deus o deixasse sem restrições, não haveria mais nada para tornar a alma perfeitamente miserável. A corrupção do coração do homem é algo imoderado e sem limites em sua fúria e, enquanto os homens maus viverem aqui, é como o fogo reprimido pelas restrições de Deus; se fosse solto, incendiaria o curso da natureza. Como o coração agora é um poço de pecado, então, se o pecado não fosse contido, transformaria imediatamente a alma em um forno ardente ou em uma fornalha de fogo e enxofre.

---

25 Jó 38,11. (N.T.)

6. Não é seguro para os homens maus, nem por um momento, que não haja *meios visíveis de morte* existentes. Não há segurança para um homem natural, que ele esteja agora com saúde e que não veja o modo como deve sair imediatamente do mundo por acidente, e que não exista perigo visível em nenhum aspecto de suas circunstâncias. A experiência múltipla e contínua do mundo em todas as épocas mostra que isso não é evidência de que um homem não esteja à beira da eternidade, e que o próximo passo não será em outro mundo. Os aspectos invisíveis e impensados dos modos e meios de as pessoas saírem repentinamente do mundo são inumeráveis e inconcebíveis. Homens não convertidos andam sobre o inferno em uma cobertura podre, e há inúmeros lugares nessa cobertura tão fracos que não suportam o menor peso, e tais lugares não são visíveis. As flechas da morte voam despercebidas ao meio-dia; a visão mais nítida não pode discerni-las. Deus tem tantas maneiras diferentes e insondáveis de tirar homens perversos do mundo e mandá-los para o inferno, que não há nada que faça parecer que Deus precisava estar à custa de um milagre ou sair do curso comum de sua providência para destruir qualquer homem mau, a qualquer momento. Todos os meios pelos quais os pecadores estão saindo do mundo estão nas mãos de Deus e estão absolutamente sujeitos ao poder e à determinação, que não dependem menos da mera vontade de Deus se os pecadores devem a qualquer momento ir para o inferno do que se os meios nunca usados ou de alguma forma foram envolvidos na questão.

7. A *prudência* dos homens perversos e os *cuidados* com os homens para preservarem a própria *vida*, ou o cuidado de outros para preservá-la, não lhes garante um instante a mais neste mundo. A providência divina e a experiência universal também prestam testemunho. Há uma clara evidência de que a própria sabedoria dos homens não lhes dá segurança contra a morte. Se assim fosse, veríamos alguma diferença entre os homens sábios e políticos do mundo e os outros, no que diz respeito à sua probabilidade de morte prematura e inesperada; mas

como é realmente? "Ah! morre o sábio, e da mesma sorte, o estulto!" (Ec 2,16).
8. Todas as *dores* e *artifícios* que os homens perversos usam para escapar do *inferno*, enquanto continuam a rejeitar a Cristo, e assim permanecendo homens perversos, não os protegem do inferno nem por um momento. Quase todo homem mau que ouve falar do inferno se vangloria de que deve escapar dele; ele depende de si próprio para sua própria segurança, vangloria-se do que fez, do que está fazendo agora ou do que pretende fazer. Cada um expõe em sua mente como deve evitar a condenação e se vangloria por ter um bom desempenho e por seus planos não fracassarem. Eles ouvem, de fato, que são poucos os que são salvos e que a maior parte dos homens que morreram até agora foram para o inferno. No entanto, cada um imagina que expõe as coisas melhor para sua própria fuga do que outros fizeram; ele não pretende ir a esse lugar de tormento; diz dentro de si mesmo que pretende cuidar de maneira eficaz e ordenar as coisas para ele mesmo não falhar.

Mas os filhos tolos dos homens se iludem miseravelmente em seus próprios planos e na confiança em sua própria força e sabedoria; não confiam em nada além de uma sombra. A maior parte daqueles que até agora viveram sob os mesmos meios da graça e agora estão mortos, sem dúvida foram para o inferno; e não foi porque eles não eram tão sábios quanto os que estão vivos agora; não foi porque eles não estabeleceram também as coisas para garantir sua própria fuga. Se pudéssemos falar com eles e pudéssemos questioná-los, um por um, se esperavam, enquanto vivos, quando costumavam ouvir sobre o inferno, serem sujeitos a essa miséria, nós, sem dúvida, ouviríamos uma e outra resposta: "Não, nunca pretendi vir aqui: havia projetado outras coisas em minha mente; pensei que havia idealizado bem, que meu plano era bom. Pretendia tomar cuidados eficazes, mas aconteceu comigo de modo inesperado. Não o procurei naquele momento e dessa maneira; veio como ladrão;

a morte me superou. A ira de Deus foi rápida demais para mim. Oh, minha maldita loucura! Eu me lisonjeava e me agradava com sonhos vãos, do que faria a seguir, e, quando falava sobre paz e segurança, uma repentina destruição veio sobre mim".

9. Deus não se submeteu a *nenhuma obrigação*, por qualquer promessa, de manter um homem mau fora do inferno por um momento.

Deus certamente não fez promessas nem sobre a vida eterna, nem sobre qualquer libertação ou preservação da morte eterna, mas sim sobre o que está contido na aliança da graça, as promessas que são dadas em Cristo, no qual todas as promessas se encontram. Amém. Todavia, certamente eles não têm interesse nas promessas da aliança da graça por não serem os filhos da aliança, por não acreditarem em nenhuma das promessas da aliança e não terem interesse no mediador da aliança.

Portanto, o que quer que alguns tenham imaginado e fingido com relação a promessas feitas à busca e insistência sinceras dos homens maus, é claro e manifesto que tudo o que um homem perverso sofre na religião, quaisquer que sejam as orações que faz, até que ele acredite em Cristo, Deus não está de nenhuma maneira na obrigação de guardá-lo da destruição eterna por um momento.

Desse modo, é assim que homens maus são mantidos nas mãos de Deus sobre o abismo do inferno; eles mereceram o poço de fogo e já estão condenados a ele. Deus é terrivelmente provocado; Sua ira é tão grande para com eles quanto para aqueles que estão realmente sofrendo as execuções da ferocidade de sua ira no inferno, e eles nada fizeram para apaziguar ou diminuir essa raiva, nem Deus está minimamente vinculado a qualquer promessa de segurá-los por um momento. O diabo está esperando por eles, o inferno escancarando-se para eles, as chamas reúnem-se e brilham sobre eles, apossam-se deles e os engolem; o fogo contido em seus próprios corações está lutando para sair; e eles não têm interesse em nenhum mediador; não há meios ao seu alcance que possam ser uma segurança para eles. Em resumo, não têm refúgio e nada para se apossar; tudo o que os preserva a todo momento é a mera vontade arbitrária e tolerância irrestrita e sem compromisso de um Deus enfurecido.

APLICAÇÃO

O uso pode ser o de *despertar* pessoas não convertidas nesta congregação. Isso que ouviram é o caso de todos que estão fora de Cristo. Esse mundo de miséria, aquele lago de enxofre em chamas, estende-se amplamente sob vocês. *Lá* está o terrível buraco das chamas brilhantes da ira de Deus. Há a grande boca aberta do inferno, e vocês não têm nada em que se apoiarem, nem nada para se apossarem. Não há nada entre vocês e o inferno a não ser o ar; é apenas o poder e o mero prazer de Deus que os sustentam.

Vocês provavelmente não percebem isso; descobrem que são mantidos fora do inferno, só que não veem a mão de Deus nisso, mas observam outras coisas, como o bom estado de sua constituição corporal, seus cuidados com a própria vida e os meios que utilizam para preservação própria. Mas, de fato, essas coisas não são nada; se Deus retirasse sua mão, elas não teriam mais utilidade para impedir que caíssem do que o ar rarefeito para sustentar uma pessoa que está suspensa nele.

Sua maldade faz vocês parecerem pesados como o chumbo, tendendo para baixo com grande peso e pressão em direção ao inferno. Se Deus os deixasse ir, imediatamente afundariam e rapidamente desceriam e mergulhariam no abismo sem fundo, e sua constituição saudável, seu próprio cuidado e prudência, o melhor artifício e toda sua justiça não teriam mais influência para sustentá-lo e mantê-lo fora do inferno do que a teia de uma aranha teria para impedir uma pedra de cair.

Não fosse essa a vontade soberana de Deus, a Terra não o suportaria nem por um momento, pois você é um fardo para ele. A criação geme com você; a criatura é sujeita à escravidão da sua corrupção, contra sua vontade; o Sol não brilha voluntariamente sobre você para lhe dar luz para servir ao pecado e a Satanás; a Terra não oferece voluntariamente seu crescimento para satisfazer seu desejo, nem quer oferecer um palco para que sua maldade seja posta em prática. O ar não lhes serve de respiração de boa vontade para manter a chama da vida em seus órgãos vitais, enquanto passa a vida a serviço dos inimigos de Deus. As criaturas de Deus são boas, e foram feitas para os homens servirem a Deus, e não subsistem voluntariamente a nenhum outro propósito, gemendo quando sofrem abusos com propósitos tão diretamente contrários à sua natureza e fim. O mundo iria vomitá-los, se não fosse pela mão soberana Dele, que o submeteu em esperança. Há as nuvens negras da ira de Deus agora pairando diretamente sobre sua cabeça, cheia da terrível tempestade, e ruidosa com trovões; se não fosse pela mão de contenção de Deus, elas imediatamente irromperiam sobre vocês. A vontade soberana de Deus, para o presente, permanece seu vento áspero; caso contrário, viria com fúria, e sua destruição viria como um turbilhão, e vocês seriam como a palha da eira de verão.

A ira de Deus é como grandes águas que se encontram atualmente represadas; elas aumentam cada vez mais e sobem cada vez mais, até que um escoamento seja feito. Quanto mais o fluxo é interrompido, mais rápido e poderoso é o seu curso quando é solto. É verdade que o julgamento contra o seu trabalho maligno não foi executado até agora; as inundações da vingança de Deus foram retidas. No entanto, enquanto isso, sua culpa está constantemente aumentando, e você está a cada dia causando a acumulação de mais ira; as águas estão continuamente subindo, e ficando cada vez mais poderosas. Não há nada, a não ser a mera vontade de Deus que retém as águas, que não querem ser paradas, e pressionam com força para irem em frente. Se Deus apenas retirasse sua mão da comporta, ela ficaria imediatamente escancarada, e as inundações ardentes da ferocidade e da ira de Deus correriam com uma fúria inconcebível, vindo sobre você com poder onipotente. Se sua força fosse dez mil vezes maior do que é, sim, dez mil vezes maior do que a força do demônio mais forte e resistente do inferno, não seria nada para resistir ou suportá-la.

O arco da ira de Deus encontra-se armado, a flecha, preparada na corda, a justiça apontando a flecha para o seu coração, o arco tensionado, e não é senão a mera vontade de Deus, a de um Deus irado, sem qualquer promessa ou obrigação, que impede a flecha de ficar impregnada em um instante com seu sangue.

Assim são todos vocês que nunca passaram por uma grande mudança de opinião causada pelo gigantesco poder do Espírito de Deus sobre sua alma. Todos aqueles que nunca nasceram de novo e nunca se tornaram novas criaturas, ressuscitando dos mortos em pecado para um estado de luz e vida nova que nunca haviam experimentado, no entanto, vocês podem ter reformado sua vida em muitas coisas e terem tido afeições religiosas, talvez mantendo uma forma de religião em sua família na intimidade e na casa de Deus, podendo ser rigorosos quanto a isso, assim estão nas mãos de um Deus irado. Não é senão a mera vontade dele que impede que sejam tragados neste momento pela destruição eterna.

Por mais convencidos que possam agora estar da verdade que ouvem, só no futuro estarão totalmente convencidos disso. Aqueles que deixaram de estar nas mesmas circunstâncias que vocês percebem que isso aconteceu com eles, pois a destruição veio repentinamente sobre a maioria deles, quando nada esperavam e enquanto falavam de paz e segurança. Agora veem que aquelas coisas das quais dependiam para a paz e segurança não passavam de ar rarefeito e sombras vazias.

O Deus que os segura sobre a cova do inferno, da mesma maneira que alguém segura uma aranha ou algum inseto repugnante sobre o fogo, os odeia e sofre uma terrível provocação; Sua ira contra vocês arde como fogo; Ele os considera merecedores de mais nada senão o lançamento ao fogo; seus olhos mais do que puros os fitam; você são dez mil vezes mais abomináveis aos seus olhos do que a serpente mais odiosa e venenosa é para nós. Vocês o ofenderam infinitamente mais do que um rebelde teimoso ofendeu seu príncipe: no entanto, nada senão Sua mão é que os impede de cair no fogo a qualquer momento. Não é atribuído a nada mais que não tenham ido ao inferno na noite passada, sofrendo para acordar novamente neste mundo depois de fecharem os olhos para dormir. Não há outra razão a ser dada por não caírem no inferno desde que se levantaram de manhã a não ser a mão de Deus que os segurou. Não há outra razão a ser dada por não terem ido ao inferno desde que se sentaram aqui na casa de Deus, provocando seus olhos puros por sua maneira pecaminosa e malvada de assistirem à sua adoração solene. Sim, não há mais nada a ser apresentado como uma razão para que não caiam no inferno neste exato momento.

Ó pecadores! Considerem o terrível perigo em que se encontra. É uma grande fornalha de ira, um poço largo e sem fundo, cheio do fogo da ira, sobre o qual são mantidos nas mãos daquele Deus cuja ira é provocada e acesa contra vocês, do mesmo modo que é contra muitos dos condenados no inferno. Os pecadores permanecem pendurados por um fio delgado, com as chamas da ira divina brilhando sobre eles, as quais a qualquer momento estão prestes a chamuscá-los e queimá-los completamente. Vocês não têm interesse em nenhum mediador e em nada para se apossarem a fim de salvar a si mesmos, nada para afastar as chamas da ira, nada por conta própria, nada que já tenham feito, nada que possam fazer, para induzir Deus a poupá-los por um momento.

Considerem aqui, em caráter particular, várias coisas sobre essa ira da qual estão em perigo:

1. *De quem* a ira provém. É a ira do Deus infinito. Se fosse apenas a ira do homem, mesmo que fosse o príncipe mais poderoso, seria

relativamente pequena para ser considerada. A ira dos reis é muito temida, especialmente a dos monarcas absolutos, que têm as posses e a vida de seus súditos totalmente ao seu alcance deles, a serem descartadas por sua mera vontade: "Como o bramido do leão, é o terror do rei; o que lhe provoca a ira peca contra a sua própria vida" (Pv 20,2). O súdito que muito enfurece um príncipe arbitrário é passível de sofrer os tormentos mais extremos que a arte humana pode inventar ou o poder humano pode infligir. Mas os maiores potentados terrestres, em sua maior majestade e força, e quando revestidos em seus maiores terrores, são apenas frágeis e desprezíveis vermes do pó, em comparação com o grande e onipotente Criador e Rei do Céu e da Terra; é muito pouco o que podem fazer quando estão mais enfurecidos e quando exercem o máximo de sua fúria. Todos os reis da terra diante de Deus são como gafanhotos; não são nada, absolutamente nada. Tanto o amor deles quanto o ódio devem ser desprezados. A ira do grande Rei dos Reis é muito mais terrível que a deles, assim como Sua majestade é maior: "Digo-vos, pois, amigos meus: não temais os que matam o corpo e, depois disso, nada mais podem fazer. Eu, porém, vos mostrarei a quem deveis temer: temei aquele que, depois de matar, tem poder para lançar no inferno. Sim, digo-vos, a Esse deveis temer" (Lc 12,4-5).

2. É à *ferocidade* da Sua ira que vocês estão expostos. Muitas vezes lemos sobre a *fúria* de Deus, como em: "Segundo as obras deles, assim retribuirá; furor aos seus adversários" (Is 59,18). Em: "Porque eis que o Senhor virá em fogo, e os seus carros, como um torvelinho, para tornar a sua ira em furor e a sua repreensão, em chamas de fogo" (Is 66,15) e em muitos outros lugares. Assim, lemos sobre a *ferocidade* de Deus, "o lagar do vinho do furor da ira do Deus Todo-Poderoso" (Ap 19,15). As palavras são extremamente terríveis. Se tivesse sido dito apenas "a ira de Deus", teriam implicado aquilo que é infinitamente terrível, porém não é apenas isso que

foi dito, mas sim "o furor da ira de Deus". A fúria de Deus! A ferocidade de Jeová! Oh, quão terrível deve ser isso! Quem pode expressar ou conceber o que tais expressões carregam em si! Mas não é apenas isso que é dito, mas "o furor da ira do Deus Todo-Poderoso". Como se houvesse uma manifestação muito grande Seu poder onipotente no que a ferocidade de sua ira deveria infligir, como se a onipotência estivesse enfurecida e fosse exercida, como os homens costumam exercer sua força na ferocidade de sua ira. Oh, então, qual será a consequência! O que acontecerá com o pobre verme que a sofrerá! Cujas mãos podem ser fortes! Cujo coração resiste! A que profundidade terrível, inexprimível e inconcebível de miséria deve ser afundada a pobre criatura que será sujeita a isso!

Considerem isto, vocês aqui presentes, que ainda permanecem em um estado de não regenerado. O fato de Deus executar a ferocidade de sua ira implica que Ele irá infligi-la sem piedade. Quando Deus contemplar sua situação extrema e indizível, vendo seus tormentos tão desproporcionais às suas forças, e como suas pobres almas são esmagadas e afundadas, por assim dizer, em uma escuridão infinita, então Ele não terá compaixão de vocês, não reprimirá as execuções de sua ira, nem aliviará sua mão. Não haverá moderação ou misericórdia, nem Deus impedirá seu vento forte. Ele não terá consideração pelo seu bem-estar, nem será cuidadoso para que não sofram demais em nenhum outro sentido, para que não sofram além do que a rigorosa justiça exige. Nada será retido, porque é muito difícil para suportarem: "Pelo que também Eu os tratarei com furor; os meus olhos não pouparão, nem terei piedade. Ainda que me gritem aos ouvidos em alta voz, nem assim os ouvirei" (Ez 8,18). Neste momento, Deus está pronto para ter piedade de vocês; este é um dia de misericórdia; vocês podem chorar agora por algum desejo de obter misericórdia, mas, quando o dia da misericórdia terminar, seus gritos e clamores mais lamentáveis e dolorosos serão em vão; estarão totalmente perdidos e rejeitados por Deus quanto a qualquer consideração ao seu bem-estar. Deus será inútil para vocês senão sofrerem miséria. Vocês não terão outro fim, serão apenas vasos de ira preparados para a destruição; e não haverá outra utilização para esses recipientes, além de serem cheios de fúria. Deus estará tão longe de sentir piedade de vocês quando clamarem por Ele, que apenas "rirá e zombará", (Pv 1,25-26).

Quão horríveis são essas palavras, em (Is 63,3), pois elas são do grande Deus: "O lagar, eu o pisei sozinho, e dos povos nenhum homem se achava comigo; pisei as uvas na minha ira; no meu furor, as esmaguei, e o seu sangue me salpicou as vestes e me manchou o traje todo". Talvez seja impossível conceber palavras que tenham nelas manifestações maiores dessas três coisas, a saber, desprezo, ódio e ferocidade da indignação. Se clamarem a Deus por piedade, Ele estará tão longe de senti-la, enquanto o coração de vocês resistir na triste situação de endurecido, ou de lhes mostrar o mínimo de respeito ou favor, que, em vez disso, só pisará em vocês. Embora saiba que não podem suportar o peso da onipotência pisando em vocês, Ele não se importará, apenas os esmagará sob seus pés sem piedade; esmagará o seu sangue e o fará voar, sendo respingado em suas vestes, de modo a manchar todo o seu vestuário. Ele não só vai odiar vocês, como também os desprezará. Nenhum lugar será considerado adequado para vocês a não ser debaixo de seus pés, para serem pisados como a lama das ruas.

3. A miséria à qual estão expostos é aquilo que Deus infligirá para esse fim, para que possa *mostrar* o que é aquela *ira de Jeová*. Deus quis em seu coração mostrar aos anjos e aos homens tanto o quão excelente é o seu amor, quanto o quão terrível é a sua ira. Às vezes, os reis terrenos têm em mente mostrar o quão terrível é a ira deles por meio de punições extremas que executarão àqueles que os provocam. Nabucodonosor, aquele poderoso e altivo monarca do império caldeu, estava disposto a mostrar sua ira quando enfurecido com Hananias,

Misael e Azarias[26]. Consequentemente, ordenou que o forno ardente fosse aquecido sete vezes mais do que estava anteriormente; sem dúvida, isso representa o máximo grau de ferocidade que a arte humana poderia alcançar. Porém, o grande Deus também está disposto a mostrar sua ira e engrandecer sua terrível Majestade e grandioso poder nos sofrimentos extremos de seus inimigos. "Que diremos, pois, se Deus, querendo mostrar a sua ira e dar a conhecer o seu poder, suportou com muita longanimidade os vasos de ira, preparados para a perdição?" (Rm 9,22). E, vendo que esse é o seu desígnio e o que Ele determinou a fim de mostrar quão terrível é a ira pura e irrestrita, a fúria e a ferocidade de Jeová, executará a ferocidade de sua ira sem qualquer piedade. Haverá algo realizado e cumprido que será terrível a quem o testemunhar. Quando o grande e Deus irado se levantar sem compaixão e executar sua terrível vingança contra o pobre pecador, e o desgraçado estiver sofrendo o peso e o poder infinitos de sua indignação, Deus pedirá a todo o universo que contemple essa terrível majestade e seja testemunha disso. "Os povos serão queimados como se queima a cal; como espinhos cortados, arderão no fogo. Ouvi vós, os que estais longe, o que tenho feito; e vós, os que estais perto, reconhecei o meu poder. Os pecadores em Sião se assombram, o tremor se apodera dos ímpios" (Is 33,12-14).

Assim acontecerá com vocês que estão em um estado não convertido, se continuarem nele. O poder infinito, a majestade e a ferocidade da ira de Deus Onipotente serão engrandecidos sobre vocês sem qualquer piedade. Serão atormentados na presença dos santos anjos e na presença do Cordeiro; e, quando estiverem nesse estado de sofrimento, os gloriosos habitantes do céu sairão e olharão para o terrível espetáculo, para que possam ver qual é a ira e a ferocidade do Todo-Poderoso.

---

26 Hananias, Misael e Azarias são nomes de príncipes judeus que foram levados cativos para a Babilônia por Nabucodonosor e, que, juntamente com Daniel, foram separados para servir no palácio do rei (cf. Dn 1.6). (N.R.)

Quando a virem, cairão e adorarão esse grande poder e majestade: "E será que, de uma Festa da Lua Nova à outra e de um sábado a outro, virá toda a carne a adorar perante mim, diz o Senhor. Eles sairão e verão os cadáveres dos homens que prevaricaram contra mim; porque o seu verme nunca morrerá, nem o seu fogo se apagará; e eles serão um horror para toda a carne" (Is 66,23-24).

4. É a ira *eterna*. Seria terrível sofrer toda essa ferocidade e ira do Deus Todo-Poderoso em um momento, porém vocês devem sofrê-las por toda a eternidade; não haverá fim para essa requintada e horrível miséria. Quando olharem para a frente, verão uma longa eternidade, uma duração sem limites diante de vocês, que engolirá seus pensamentos e surpreenderá suas almas. Vocês absolutamente se desesperarão para terem alguma libertação, algum fim, alguma mitigação ou descanso; certamente saberão que devem se desgastar por longas eras, milhões de milhões de eras, lutando e conflitando com essa vingança onipotente e impiedosa. Então, quando tiverem feito isso, quando tantas eras tiverem sido realmente consumidas por vocês dessa maneira, saberão que tudo não passa de um ponto comparado ao que resta, para que seus castigos sejam realmente infinitos. Oh, quem pode expressar qual é o estado de uma alma nessas circunstâncias? Tudo o que podemos dizer sobre isso fornece apenas uma representação muito frágil e fraca; é inexprimível e inconcebível, pois "quem conhece o poder da tua ira?"[27].

Quão terrível é o estado daqueles que estão diariamente e de hora em hora em perigo dessa grande ira e infinita miséria! Mas esse é o caso sombrio de toda alma nesta congregação que não nasceu de novo, por mais correta e estrita, sóbria e religiosa que possa ser. Oh, que vocês considerem, sejam jovens ou velhos! Há motivos para pensar que agora muitos nesta congregação ouvindo esse discurso que estão sujeitos a essa mesma miséria por toda a eternidade. Não sabemos quem são,

---

[27] Sl 90,11. (N.T.)

ou em que lugares sentam, ou que pensamentos têm agora. Pode ser que agora estejam à vontade e ouçam todas essas coisas sem nenhuma perturbação, e agora se vangloriam por não serem essas pessoas, prometendo a si mesmas que escaparão. Se soubéssemos que havia uma pessoa, apenas uma, em toda a congregação, que seria ela sujeita a essa miséria, que coisa terrível seria pensar! Se soubéssemos quem era, que visão horrível seria ver essa pessoa! Certamente todo o restante da congregação provocaria um lamento amargo e deplorável sobre ela! Mas então, em vez de um, quantos provavelmente se lembrarão desse discurso no inferno! Seria maravilhoso se algumas pessoas prestes a irem para o inferno em muito pouco tempo antes que o ano se esgotasse, não o fossem. Não seria de surpreender que algumas pessoas que agora estão sentadas aqui nesta igreja, com saúde, tranquilas e seguras, estivessem lá antes de amanhã de manhã. Aqueles de vocês que finalmente continuarem na condição de não convertido, que deixarão vocês fora do inferno por mais tempo, estarão lá em pouco tempo! Suas condenações não dormem; ela virá rapidamente e, com toda a certeza, muito repentinamente sobre muitos de vocês. Muitos têm motivos para pensar que ainda não estão no inferno. É sem dúvida o caso de alguns que até agora vocês viram e conheceram, que nunca mereceram o inferno mais do que vocês e que até agora parecia tão provável estarem ainda vivos neste momento como vocês. O caso deles já não tem mais esperança; estão chorando em extrema miséria e muito desespero. Mas aqui vocês estão na terra dos vivos e na casa de Deus, e têm a oportunidade de obter a salvação. O que essas pobres, condenadas de esperança e desesperançadas almas não dariam pela oportunidade de terem um dia como vocês desfrutam agora!

Vocês têm essa oportunidade extraordinária agora, um dia em que Cristo abriu bem a porta da misericórdia, e está lá, chamando e chorando em voz alta pelos pobres pecadores; um dia em que muitos estão se voltando para Ele e se esforçando para entrar no Reino de Deus. Muitos vêm diariamente do Leste, Oeste, Norte e Sul, muitos, que, com grande probabilidade, estavam na mesma condição miserável em que vocês estão, porém agora eles estão em um estado feliz, com o coração cheio de amor àquele que os amou e os lavou dos pecados em seu próprio sangue, e se regozijando na esperança da glória de Deus. Quão terrível é ficar para trás em um dia como este! Ver tantos outros festejando enquanto vocês estão sofrendo e perecendo! Ver tantos regozijando-se e cantando pela alegria do coração, enquanto vocês têm motivos para se lamentarem pela tristeza do coração e uivarem pela irritação do espírito! Como podem ter um momento de descanso em tal condição? Essas almas não são tão preciosas quanto as almas do povo de Suffield[28], onde estão se reunindo dia após dia em Cristo?

Não existem pessoas aqui que tenham vivido muito tempo no mundo que não renasceram neste dia, assim, são estrangeiros da comunidade de Israel e nada fizeram desde que nasceram, a não ser acumular ira contra o dia da ira? Senhores, de uma maneira especial seus casos são extremamente perigosos; suas culpas e dureza de coração são extremamente grandes. Vocês não veem como geralmente as pessoas de sua idade são ignoradas e deixadas de lado no dia da misericórdia de Deus? Vocês precisam refletir consigo mesmos e despertar completamente do sono; vocês não podem suportar a ferocidade e a ira do Deus infinito.

Vocês, rapazes e moças, negligenciarão essa estação preciosa de que agora desfrutam, quando tantos outros da sua idade estão renunciando a todas as vaidades juvenis e se dirigindo a Cristo? Vocês especialmente agora têm uma oportunidade extraordinária, mas, se a negligenciarem, em breve acontecerá com vocês o que houve com aquelas pessoas que passaram todos os dias preciosos da juventude em pecado e agora chegaram a uma situação tão terrível de cegueira e dureza.

Vocês, filhos que não são convertidos, não sabem que estão indo para o inferno para suportar a terrível ira daquele Deus que agora está

---

28 A cidade do próximo. (N.O.)

com raiva de vocês, todos os dias e todas as noites? Vocês se contentarão em serem filhos do diabo, quando tantos outros filhos na terra se convertem e se tornam filhos santos e felizes do Rei dos Reis?

Que todos aqueles que ainda estão fora de Cristo e pairando sobre o abismo do inferno, sejam homens ou mulheres, pessoas de meia-idade, jovens ou crianças, ouçam agora os apelos estrondosos da palavra e providência de Deus. Este ano de misericórdia do Senhor, que é um tempo de tão grande alegria para alguns, sem dúvida é um tempo de tamanha vingança para outros. O coração dos homens endurece e a culpa aumenta rapidamente em um momento como esse, se negligenciarem sua alma. Nunca houve tanto perigo de tais pessoas serem entregues à dureza do coração e à cegueira da mente. Deus agora parece estar colhendo às pressas seus eleitos em todas as partes da terra; provavelmente a maior parte das pessoas adultas que será salva, será trazida agora em pouco tempo, e será como foi naquele grande derramamento do Espírito sobre os judeus no dia dos apóstolos: a eleição será feita, e o resto ficará cego. Se esse for o seu caso, amaldiçoarão eternamente esse dia e amaldiçoarão o dia em que nasceram para verem tal período do derramamento do Espírito de Deus, e desejarão que tivessem morrido e ido para o inferno antes de terem visto isso. Agora, sem dúvida, como nos dias de João Batista, o machado é colocado de maneira extraordinária à raiz das árvores, e toda árvore que não produz bons frutos pode ser cortada e lançada ao fogo.

Portanto, todos aqueles que estão fora de Cristo agora despertem e fujam da ira vindoura. A ira do Deus Todo-Poderoso está agora, sem dúvida, pairando sobre grande parte desta congregação. Que todos saiam de Sodoma: *"Livra-te, salva a tua vida; não olhes para trás,... foge para o monte, para que não pereças."*[29]

---

[29] Gn 19,17. (N.T.)

UM GALHO FORTE QUEBRADO E SECO

"Quebraram-se e secaram os seus fortes galhos", (Ez 19,12).

Para assimilar corretamente o contexto dessas palavras, as quatro coisas seguintes devem ser observadas.

1. *Quem ela é*, representada como tendo galhos fortes. É a comunidade judaica, [que] aqui, como em outros lugares, é chamada de mãe do povo. Ela é comparada a uma videira plantada em solo muito fértil, (Ez 19,10). A igreja e o estado judaicos costumam ser comparados a uma videira, como em: (Sl 80,8), (Is 5,2), (Jr 2,21), (Ez 15, e 17,6).
2. O que se entende por *seus fortes galhos*, a saber, são os magistrados ou governantes sábios, capazes e bem qualificados. A que se destinam é manifestado por: "Tinha galhos fortes para cetros de dominadores" (Ez 19,11). Galhos fortes devem ser entendidos como os governantes que eram bem qualificados para a magistratura, tinham grandes habilidades e outras qualificações adequadas para os exercício do

governo. Eles costumavam escolher um galho ou bastão de videira, tipo de madeira mais forte e mais difícil de ser encontrado para a maça ou cetro de um príncipe; único considerado adequado para tal uso, geralmente coberto de ouro.

É muito notável que um galho tão forte cresça de uma videira fraca, mas assim aconteceu em Israel, por meio das extraordinárias bênçãos de Deus em tempos passados. Embora a nação seja citada aqui, e frequentemente em outros lugares, como tão fraca e indeseja e totalmente dependente como uma videira, que é a mais frágil de todas as árvores, que não consegue se sustentar por sua própria força, que nunca permanece a mesma, apoiando-se ou agarrando-se a outra coisa mais forte que ela própria, mesmo assim, Deus fez com que muitos de seus filhos fossem galhos fortes, aptos para cetros. Ele havia formado em Israel muitos príncipes e magistrados capazes e excelentes em dias anteriores, que agiram dignamente em seus dias.

3. Deve-se entender e observar o que se quer dizer por esses galhos fortes sendo *quebrados e secos*, representam os governantes capazes e excelentes sendo tirados pela morte. A morte do homem é frequentemente comparada nas escrituras ao definhamento do crescimento da terra.

4. Deve-se observar *de que maneira* aqui se fala do rompimento e definhamento desses galhos fortes, ou seja, como uma grande e terrível calamidade que Deus havia causado àquelas pessoas. É mencionado como um dos principais efeitos da fúria de Deus e do terrível desagrado contra elas. "Mas foi arrancada com furor e lançada por terra, e o vento oriental secou-lhe o fruto; quebraram-se e secaram os seus fortes galhos, e o fogo os consumiu."[30] Os grandes benefícios que ela desfrutou enquanto seus galhos fortes estavam presentes estão representados no versículo anterior: "Tinha galhos fortes para cetros

---

30 Ez 19,12. (N.T.)

de dominadores; elevou-se a sua estatura entre os espessos ramos, e foi vista na sua altura com a multidão deles". As terríveis calamidades que acompanharam o rompimento e o definhamento de seus galhos fortes estão representadas nos dois versículos seguintes do texto: "Agora, está plantada no deserto, numa terra seca e sedenta. Dos galhos dos seus ramos saiu fogo que consumiu o seu fruto". E na conclusão das próximas palavras é declarado enfaticamente que o valor de tal dispensação deve ser grandemente lamentado: "De maneira que já não há nela galho forte que sirva de cetro para dominar. Esta é uma lamentação e ficará servindo de lamentação".

Portanto, o que observo das palavras do texto como assunto do discurso neste momento é o seguinte:

> *Quando Deus, pela morte, remove de um povo aqueles que estão no lugar da autoridade pública e que governam como galhos fortes, é um terrível julgamento de Deus sobre esse povo e digno de grande lamentação.*

Ao discorrer sobre esse tema:
I. Mostro que tipo de governantes podem ser chamados de galhos fortes.
II. Apresento por que a remoção de tais governantes de um povo, pela morte, deve ser encarada como um terrível julgamento de Deus sobre esse povo, e que deve ser lamentada.
I. Faço observações sobre que qualificações das pessoas que estão em autoridade pública e que governam podem lhes conceder adequadamente a denominação de *galhos fortes*.
1. Uma qualificação dos governantes que se ajusta bem à denominação de galhos fortes é a *grande habilidade para a administração de assuntos públicos*. Quando aqueles que estão no lugar de autoridade pública são homens de grandes habilidades naturais, quando são

homens de força incomum da razão e grandeza de entendimento; especialmente quando têm um gênio extraordinário para o governo, uma mentalidade peculiar que os capacita a obter uma compreensão extraordinária sobre coisas dessa natureza, dando capacidade, de maneira especial, para compreenderem os mistérios do governo e discernirem aquelas coisas em que o bem-estar ou a calamidade pública consistem e os meios adequados para evitar a última e promover o primeiro; um talento extraordinário em distinguirem o que é certo e justo daquilo que é errado e desigual, verem através das cores falsas com as quais a injustiça é muitas vezes disfarçada, e desvendarem os argumentos falsos e sutis e os sofismas astutos que muitas vezes são usados para defender a iniquidade; quando têm não apenas grandes habilidades naturais nesses aspectos, mas, quando suas habilidades e talentos foram aprimorados pelo estudo, aprendizado, observação e experiência; quando, por esses meios, obtiveram grande conhecimento real; quando adquiriram grande habilidade em assuntos públicos e coisas necessárias para serem conhecidas, a fim de administrarem com sabedoria, prudência e eficácia; quando obtiveram uma grande compreensão dos homens, e das coisas, um grande conhecimento da natureza humana e da maneira de se acomodar a ela, de modo a influenciá-la com mais eficácia a propósitos sábios; quando obtiveram um conhecimento muito amplo de homens com quem se preocupam na administração de assuntos públicos, seja aqueles que tenham uma preocupação conjunta no governo, seja aqueles que serão governados; quando também obtiveram uma compreensão muito completa e particular do Estado e das circunstâncias do país ou das pessoas de quem cuidam, e conhecem bem suas leis e constituições e o que as circunstâncias exigem; e também têm um grande conhecimento dos povos das nações vizinhas, estados ou províncias com as quais têm oportunidade de se preocupar na administração dos assuntos públicos que lhes são confiados;

todas essas coisas contribuem para fazem com que aqueles que estão em posição de autoridade sejam denominados galhos fortes.
2. Quando eles têm não apenas grande entendimento, mas *grandeza de coração e grandiosidade e nobreza de disposição*; essa é outra qualificação que pertence ao caráter de um galho forte.

Aqueles que são estabelecidos pela providência divina em lugares de autoridade e governo públicos são chamados de *deuses* e *filhos do Altíssimo*, Sl 82,6. Portanto, é particularmente inapropriado que tenham espírito mesquinho, que tenham inclinação para coisas sórdidas vis; como quando são pessoas de um espírito estreito e privado, que podem ser apanhadas em pequenos deslizes e intrigas para promoverem seu interesse particular e que vergonhosamente sujam suas mãos para ganhar algum dinheiro, não tendo vergonha de morder os outros, moer o rosto dos pobres e acabar com seus vizinhos, aproveitando-se de sua autoridade ou comissão para alinharem seus próprios bolsos com o que é roubado ou retido de maneira fraudulenta. Quando homem em autoridade tem um espírito mesquinho, ele enfraquece sua autoridade e se torna justamente desprezível aos olhos dos outros o que é totalmente incoerente com o fato de ser um *galho forte*.

Contudo, pelo contrário, estabelece grandemente sua autoridade e faz com que outros o admirem quando o veem como um homem de grandeza mental, que abomina aquelas coisas que são más e sórdidas, e que não é capaz de aceitá-las; alguém de espírito público, não tem disposição particular e estreita mesquinha; um homem de honra, e não um homem de artifício mesquinho e administração clandestina buscando lucro imundo, além de alguém que abomina insignificância e impertinência, ou desperdiçar seu tempo, o qual deve ser gasto a serviço de Deus, seu rei ou seu país, em vãs diversões e desvios na busca das gratificações de apetites sensuais. Do mesmo modo, Deus acusa os governantes em Israel, que pretendiam ser seus homens grandes e poderosos, de serem poderosos para beber vinho e valentes para misturar bebida forte. Não parece haver nenhuma referência ao fato de serem homens de cabeças fortes e capazes de aguentar muita bebida forte, como alguns supuseram. Há um sarcasmo severo nas palavras, pois o profeta está falando dos grandes homens, príncipes e juízes em Israel (como aparece no versículo a seguir), que deviam ser homens poderosos, galhos fortes, homens de qualificações eminentes, destacando-se a nobreza de espírito, a força e a fortaleza gloriosas da grandiosidade da mente; mas, em vez disso, eram poderosos ou eminentes por nada além de gula e embriaguez.

3. Quando aqueles que estão em autoridade são dotados de grande parte de *um espírito de governo*; isso é outra coisa que lhes confere o direito da denominação de galhos fortes. Quando não são apenas homens de grande entendimento e sabedoria em assuntos que pertencem ao governo, mas também possuem um talento peculiar em usar seu conhecimento e se esforçar nesse grande e importante assunto, de acordo com seu grande entendimento; quando são homens de força eminente e sem medo de encarar outros homens, não temendo fazer a parte que lhes cabe apropriadamente como governantes, embora enfrentem grande oposição e de homens de espíritos perversos que discordam das atitudes dele como governante; ou de seus adversários políticos que discordam de sua ações como governante; os espíritos dos homens fiquem grandemente irritados por isso; quando têm espírito de resolução e atividade, de modo a manter as engrenagens do governo em movimento adequado e fazer com que o julgamento e a justiça caiam como uma corrente poderosa; quando têm não apenas um grande conhecimento do governo e das coisas que pertencem a ele teoricamente, mas que naturalmente apliquem os vários poderes e faculdades com que Deus os dotou e o conhecimento que obtiveram por estudo e observação relacionado a essa ocupação, de modo a realizá-la de maneira mais vantajosa e eficaz.

4. *Estabilidade e firmeza de integridade, fidelidade e piedade no exercício da autoridade* é outra coisa que contribui muito e é essencial para o caráter de um galho forte.

Quando aquele que tem autoridade não é apenas um homem de forte razão e grande discernimento para saber o que é justo, mas um homem de estrita integridade e retidão, firme e imutável na execução da justiça e do julgamento; quando não é apenas um homem de grande capacidade para superar o vício e a imoralidade, mas é dotado de uma disposição a tal capacidade; é aquele que tem forte aversão à maldade e está disposto a usar o poder que Deus colocou em suas mãos para suprimi-la; é aquele que não apenas se opõe ao vício por sua autoridade, mas por seu exemplo; quando ele é de uma fidelidade inflexível é fiel a Deus, cujo ministro ele é para o seu povo para o bem, permanecendo firme em relação à autoridade suprema, aos mandamentos e à glória de Deus, e será fiel ao seu rei e país; é aquele que não será induzido pelas muitas tentações que atendem aos assuntos dos homens em poder público basicamente para trair sua confiança; é aquele que não consentirá em fazer o que acha que não é para o bem público, mas para seu próprio benefício ou vantagem, ou qualquer interesse particular; é aquele que tem bons princípios e é firme em agir de acordo com eles, e não será persuadido a fazer o contrário por medo ou favor, para seguir uma multidão ou para manter os interesses daqueles de quem depende para se manter no cargo, seja príncipe ou povo; e também possui força mental, pela qual governa seu próprio espírito. Todas essas coisas contribuem imensamente para o título de um governante com a denominação de *galho forte*.

5. Finalmente, também contribui para o fortalecimento de um homem em autoridade, denominado *galho forte*, quando está em *circunstâncias que lhe dão vantagem* para o exercício de sua força para o bem público; quando ele é uma pessoa de ascendência honrosa, de educação distinta, homem de propriedade, um homem de idade avançada, que tem autoridade há muito tempo, de modo que se tornou, por assim dizer, natural para o povo respeitá-lo, reverenciando-o, sendo influenciado e governado por ele e submetendo-se à sua autoridade,

sendo amplamente conhecido e muito honrado e considerado no exterior; sendo alguém de boa presença, majestade de semblante, decência de comportamento, tornando-se uno em autoridade, de discurso convincente, etc. Essas condições fortacem, aumentam a capacidade e a vantagem de servir sua nação no lugar de um governante e, assim, de alguma forma, são úteis para torná-lo aquele que é eminente a *galho forte*.

Agora prossigo,

II. mostrando que, quando esses galhos fortes são quebrados e a morte os torna secos, há um terrível julgamento de Deus sobre as pessoas que são privadas deles e que são dignas de grande lamentação.

E isso em duas considerações:

1. Em razão dos muitos *benefícios positivos* e das bênçãos para um povo dos quais esses governantes são os instrumentos.

Quase toda a prosperidade de uma sociedade pública e comunidade civil dependem, abaixo de Deus, de seus governantes. São como as molas ou rodas principais de uma máquina que mantêm todas as partes em movimento, e estão no corpo político como as partes vitais do corpo natural como os pilares e as bases de um edifício. Os governantes civis são chamados de "os fundamentos da terra", Sl 82,5 e Sl 11,3.

A prosperidade de um povo depende mais de seus governantes do que se imagina. Como eles têm a sociedade pública sob seus cuidados e poder, têm vantagens em promover o interesse público de todas as formas; e, se eles são como os governantes mencionados, são abençoados pelo público. A boa reputação tem a tendência de promover a riqueza e muitas as posses e bênçãos temporais dos indivíduos, promovendo a tranquilidade entre eles e, portanto, unindo-os em paz e benevolência mútuas, fazendo-os felizes em sociedade, cada um deles sendo o instrumento da tranquilidade, do conforto e da prosperidade de seu vizinho; assim, por esses meios, promovem sua reputação e honra no mundo e, o que é muito melhor, promovem sua felicidade espiritual e eterna.

Portanto, o sábio diz: "Ditosa, tu, ó terra cujo rei é filho de nobres" (Ec 10,17).

Temos um exemplo notável e a evidência da feliz e grande influência de um galho tão forte, como o que foi descrito para promover a prosperidade universal de um povo na história do reinado de Salomão, embora muitas pessoas estivessem se sentindo desconfortáveis sob seu governo e o achassem muito rigoroso em sua administração. "Judá e Israel habitavam confiados, cada um debaixo da sua videira e debaixo da sua figueira, desde Dã até Berseba, todos os dias de Salomão" (1 Rs 12,4). "Fez o rei que, em Jerusalém, houvesse prata como pedras e cedros em abundância", (1 Rs 4,25). "Eram, pois, os de Judá e Israel muitos, numerosos como a areia que está ao pé do mar; comiam, bebiam e se alegravam", (1 Rs 10,27). A rainha de Sabá se admirou e foi grandemente influenciada pela felicidade do povo sob o governo de um galho tão forte. Diz ela: "Felizes os teus homens, felizes estes teus servos, que estão sempre diante de ti e que ouvem a tua sabedoria! Bendito seja o Senhor, teu Deus, que se agradou de ti para te colocar no trono de Israel; é porque o Senhor ama a Israel para sempre, que te constituiu rei, para executares juízo e justiça" (1 Rs 10,8-9).

O estado florescente do reino de Judá, enquanto tinha galhos fortes para os cetros daqueles que governavam, qualidade essencial para o crescimento deles e é notado em nosso contexto: "Tinha galhos fortes para cetros de dominadores; elevou-se a sua estatura entre os espessos ramos, e foi vista na sua altura com a multidão deles"[31].

Tais governantes são eminentemente os ministros de Deus para o seu povo eternamente; são grandes presentes do Altíssimo para eles, símbolos abençoados de seu favor, transporte de sua bondade para eles e imagens de seu próprio Filho, o grande intermediário de toda a bondade de Deus para a humanidade caída. Logo, todos são chamados

---

31 Ez 19,11. (N.T.)

filhos do Altíssimo. Todos os governantes civis, se são, como deveriam ser, os galhos fortes descritos, serão como o Filho do Altíssimo, veículos de bem para a humanidade e, como Ele, se tornarão como a luz da manhã quando o Sol nasce, uma manhã sem nuvens, como a tenra grama que brota da terra, brilhando depois da chuva. Portanto, quando um povo é privado deles, todos sofrem uma perda indescritível e estão sujeitos a um julgamento de Deus que é muito lamentável.

2. Em relação às *grandes calamidades*, esses governantes são uma *defesa contra elas*. Inumeráveis são as calamidades graves e fatais às quais as sociedades públicas estão expostas neste mundo maligno, das quais não podem se defender sem ordem e autoridade. Se um povo está sem governo, é como uma cidade destruída e sem muralhas, cercada por todos os lados de inimigos e inevitavelmente sujeita a todo tipo de confusão e miséria.

O governo é necessário para *defender as comunidades das misérias dentro deles próprios*; da prevalência de discórdia interna, injustiça social e violência. Os membros da sociedade continuamente tornam-se presas uns dos outros, sem qualquer defesa nos conflitos mútuos. Os governantes são os líderes agregadores nas sociedades públicas, que mantêm as partes unidas; sem eles nada se pode esperar senão que os membros da sociedade estejam continuamente divididos entre si, cada um agindo como inimigo do outro, a mão de cada homem sendo usada contra todos os homens, e a mão de cada homem sendo usada contra ele mesmo, prosseguindo em tumultos e discórdias inevitáveis e inesgotáveis, até a sociedade ser totalmente dissolvida e quebrada em pedaços, e a própria vida, na vizinhança de tornar-se infeliz e intolerável.

Podemos ver a necessidade de governo nas sociedades pelo que é visível nas famílias, aquelas sociedades menores das quais todas as sociedades públicas são constituídas. Quão miseráveis seriam essas pequenas sociedades se todas fossem deixadas por si mesmas, sem nenhuma autoridade ou superioridade, uns sobre os outros ou sem um líder que promova a união e exerça influência entre elas?

Somos capazes de nos convencer quando observamos as consequências lamentáveis da falta de um exercício adequado de autoridade e manutenção do governo nas famílias que não estão desprovidas de autoridade. Não há menos necessidade de governo nas sociedades públicas, mas muito mais, uma vez que são maiores. Pouquíssimos podem, sem nenhum governo, agir em conjunto, de modo a concordar com o que será para o bem-estar do todo; mas isso é inaceitável entre uma multidão, constituída por muitos milhares, com uma grande variedade de temperamentos e interesses diferentes.

Como o governo é absolutamente indispensável, há uma necessidade de *galhos fortes* para exercê-lo. Essa função é de extrema importância, por isso exige pessoas qualificadas, e ninguém é mais adequado para isso, ou tem mais capacidade de governo do que as sociedades públicas. Assim, infelizes são as sociedades públicas que não têm galhos fortes como os cetros para governarem: "Ai de ti, ó terra cujo rei é criança", (Ec 10,16).

Os galhos fortes são necessários para o seu exercício do governo, e também são fundamentais para preservar as sociedades públicas de calamidades terríveis e fatais que surgem; portanto, não são menos necessários para *defender a comunidade de inimigos estrangeiros*. Do mesmo modo que são como os pilares de um edifício, também são como os muros e baluartes de uma cidade; eles estão sob Deus, a principal força de um povo em tempos de guerra, e os principais instrumentos de sua preservação, segurança e descanso. Isso é demonstrado de uma maneira muito forte nas palavras usadas pela comunidade judaica em suas lamentações a fim de expressar as expectativas que tinha de seus príncipes: "O fôlego da nossa vida, o ungido do Senhor, foi preso nos forjes deles; Dele dizíamos: debaixo da sua sombra, viveremos entre as nações", (Lm 4,20). A esse respeito, também tais galhos fortes são filhos do Altíssimo e imagem e semelhança do Filho de Deus, a saber, por eles serem os salvadores de seus inimigos, do mesmo modo que os juízes que Deus ergueu em Israel são chamados: "Pelo que os entregaste nas mãos dos seus opressores, que os angustiaram; mas no tempo de sua angústia, clamando eles a Ti, dos céus Tu os ouviste; e, segundo a Tua grande misericórdia, lhes deste libertadores que os salvaram das mãos dos que os oprimiam", (Ne 9,27).

Desse modo, tanto a prosperidade quanto a segurança de um povo sob Deus dependem de governantes que são como *galhos fortes*. Enquanto desfrutam de tais bênçãos, costumam ser como uma videira plantada em solo fértil, com seu tamanho exaltado entre os galhos grossos, ostentando sua altura com a multidão de seus galhos; mas, quando não têm galhos fortes para serem cetro para governar, são como uma videira plantada em um deserto, exposta a ser arrancada e jogada no chão para que seus frutos sequem com o vento oriental, e que o fogo saia de seus próprios galhos para devorar seus frutos.

Nessas considerações, quando os galhos fortes de um povo são quebrados e definham, há um terrível julgamento de Deus sobre esse povo digno de grande lamentação; como quando o rei Josias (que sem dúvida era um dos galhos fortes mencionados no texto) morreu, o povo lamentou-se profundamente por ele: "Seus servos o tiraram do carro, levaram-no para o segundo carro e o transportaram a Jerusalém; ele morreu, e o sepultaram nos sepulcros de seus pais. Todo o Judá e Jerusalém prantearam Josias. Jeremias compôs uma lamentação sobre Josias; e todos os cantores e cantoras, nas suas lamentações, se têm referido a Josias, até ao dia de hoje; porque as deram por prática em Israel, e estão escritas no *Livro de Lamentações*", (2 Cr 35,24-25).

APLICAÇÃO

Venho agora aplicar essas coisas ao nosso próprio caso, sob o tardio e terrível desdém da Providência Divina, removendo pela morte aquela pessoa honrada em domínio público e autoridade, um habitante desta cidade e pertencente a esta congregação e igreja, que morreu em Boston, no último Dia do Senhor.

Ele era eminentemente um *galho forte* dentro dos aspectos mencionados. Quanto às suas habilidades naturais, força da razão, grandeza e clareza de discernimento e profundidade de perspicácia, ele foi um dos primeiros da lista: pode-se duvidar de que exista alguém superior a ele nesses aspectos nesta região do mundo. Ele era um homem de um grande gênio, e seu temperamento era peculiarmente adequado para a compreensão e a administração de assuntos públicos.

Como sua capacidade natural era grande, ele adquiriu muito conhecimento. Seu entendimento foi muito aprimorado pela aplicação meticulosa nos assuntos de seu interesse dos quais era convidado a resolver. Suas observações exatas e a vasta experiência para discussões. Ele realmente tinha uma grande visão da natureza das sociedades públicas, dos mistérios do governo e das questões de paz e guerra. Tinha um discernimento que pouquíssimos têm a respeito das coisas que consistem no bem-estar público e que expõem as sociedades públicas, bem como os meios adequados para evitar as últimas e promover as primeiras. Pela rápidez de discernimento, e, na maioria dos casos, especialmente os ligados aos seus negócios, à primeira vista, veria além do que a maioria dos homens conseguiria ver dando o seu melhor. No entanto, possuía uma faculdade maravilhosa de desenvolver seus próprios pensamentos através da meditação e de sustentar seus pontos de vista cada vez por mais tempo com uma aplicação longa e atenta da mente. Possuía uma capacidade extraordinária de distinguir entre o certo e o errado em circunstâncias que tendiam a confundir e obscurecer a mente. Era capaz de ponderar sobre as coisas, por assim dizer, em uma balança, e de distinguir aquelas que eram sólidas e pesadas daquelas que tinham apenas uma aparência tênue e sem substância, fato que ele evidentemente descobriu com sua maneira precisa, clara e simples de declarar e levar causas a um júri, a partir do tribunal, como já observado por outros. Distinguia maravilhosamente a verdade da falsidade, e os casos mais complicados sempre pareciam claros em sua mente; suas ideias eram bem variadas, e ele tinha o talento de comunicá-las com clareza de entendimento de todos. E se alguém entendia errado, não era porque a verdade e a falsidade, o certo e o errado, não fossem bem distinguidos.

Provavelmente, foi um dos políticos mais capazes que já existiu na Nova Inglaterra; tinha uma visão muito incomum da natureza humana e uma maravilhosa capacidade de entender os temperamentos e as disposições particulares daqueles com os quais tinha de lidar, sabendo discernir a melhor maneira de tratá-los, a fim de influenciá-los com mais eficácia a qualquer propósito bom e sábio.

Talvez nunca existiu uma pessoa que tivesse um conhecimento mais amplo e aprofundado do estado desta terra, de seus assuntos públicos e de pessoas que se preocupavam com eles; conhecia esse povo e suas circunstâncias, e o que elas exigiam. Discernia as doenças do corpo e quais eram os remédios adequados, como um médico capaz e magistral. Conhecia bem as colônias vizinhas e também as nações vizinhas deste continente, com as quais estamos preocupados em nossos assuntos públicos. Tinha um conhecimento muito maior do que qualquer outra pessoa das terras das várias nações indígenas nas partes do norte da América, seus temperamentos, costumes e a maneira correta de tratá-los, e era mais amplamente conhecido por eles do que qualquer outra pessoa no país. Nenhuma outra autoridade nesta província conhecia tanto o povo e o país do Canadá, a terra dos nossos inimigos, como ele.

Não tinha disposição nem petulância para se intrometer nos assuntos de outras pessoas, porém, quanto àquilo que se referia aos cargos que mantinha e aos assuntos importantes de que cuidava, tinha uma grande compreensão daquilo que lhes dizia respeito. Muitas vezes fiquei surpreso com a extensão de seu alcance e com o que vi de sua capacidade de prever e determinar as consequências das coisas, mesmo a uma grande distância, e muito além da vista de outros homens. Ele não era vacilante e instável em sua opinião; seu jeito nunca foi o de julgar precipitadamente, mas sim costumava primeiro deliberar completamente e ponderar sobre uma questão. Quanto a isso, apesar de suas grandes habilidades, ficava satisfeito em melhorar [com] a ajuda da conversa e do discurso com os outros, e frequentemente falava da grande vantagem que encontrava por meio deles; mas quando, em consideração posterior, chegava à sua decisão, não era facilmente desviado dela por cores falsas, pretensões plausíveis e aparências.

Além de seu conhecimento das coisas relacionadas ao chamado particular como governante, também tinha um grande grau de entendimento nas coisas relacionadas ao seu chamado geral como cristão. Ele não era um teólogo desprezível. Era um sábio casuísta, como sei pela grande ajuda que encontrei de tempos em tempos no seu julgamento e nos conselhos sobre casos de consciência em que o consultei. De fato, mal conhecia um teólogo mais capaz de ajudar e iluminar a mente em tais casos do que ele. Não possuía um grau pequeno de conhecimento em coisas relacionadas à religião experimental; costumava discorrer sobre esses assuntos, não apenas com distinções doutrinárias precisas, mas também como alguém que se relaciona de maneira íntima e familiar com essas coisas.

Ele não era apenas grande em conhecimento especulativo, seu conhecimento era prático; tendia a uma conduta sábia nos assuntos, negócios e deveres da vida. Por isso, é adequado e de extrema importância atribuir-lhe o caráter de um homem sábio. Não era apenas eminentemente sábio e prudente em sua própria conduta, mas era um dos conselheiros mais capazes e sábios perante os outros em qualquer assunto difícil.

A grandeza e a honra de sua disposição foram responsáveis pela amplitude de seu entendimento. Ele tinha naturalmente uma grande mente. A esse respeito, era verdadeiramente o *filho de nobres*. Detestava grandemente as coisas que eram más e sórdidas, e parecia incapaz de conformar-se com elas. Quão longe ficava de coisas insignificantes e impertinentes em sua conversa! Quão longe de uma disposição ocupada e intrometida! Quão longe de qualquer administração astuta e clandestina para encher seus bolsos com o que foi fraudulentamente retido ou violentamente espremido do trabalhador, soldado ou oficial inferior! Quão longe de tirar proveito de sua comissão, autoridade ou de qualquer poder superior que tivesse em suas mãos, ou da ignorância, dependência ou necessidades de outros, para adicionar aos seus próprios ganhos a propriedade que lhes pertencia e o que eles poderiam esperar justamente como uma recompensa adequada por qualquer um de seus serviços! Quão longe estava de secretamente aceitar subornos oferecidos para induzi-lo a favorecer qualquer homem em sua causa, ou por seu poder ou interesse promover seu avanço a qualquer lugar de confiança pública, honra ou lucro! Quão grandemente ele abominava a mentira e a prevaricação! E quão imutável e firme ele era para expor a verdade! Seu ódio por coisas que eram más e sórdidas era tão visível e bem conhecidos que era evidente que os homens temiam mostrar qualquer coisa dessa natureza em sua presença.

Ele era um homem notavelmente de espírito público, um verdadeiro amante de seu país e detestava grandemente o sacrifício do bem-estar público a interesses privados.

Ele era eminentemente dotado de um espírito de governo. O Deus da natureza parecia tê-lo formado para o governo, como se tivesse sido feito de propósito e criado em um molde pelo qual deveria estar em todos os sentidos pronto para os negócios de um homem no poder público. Tal comportamento e conduta eram naturais para ele, pois tendiam a manter sua autoridade e suscitar nos outros respeito e reverência, impondo e tornando eficaz o que disse e fez no exercício de sua autoridade. *Não é sem motivo que traz a espada em vão*: ele era verdadeiramente um *terror para os que praticam o mal*[32]. O que eu vi nele muitas vezes me lembra aquele ditado do sábio: "Assentando-se o rei no trono do juízo, com os seus olhos dissipa todo mal", (Pv 20,8). Ele era aquele que não tinha medo do rosto dos homens, e todos sabiam que era inútil tentar impedi-lo de fazer o que, em consideração madura, ele havia determinado fazer. Tudo nele era ótimo e o tornava um homem em sua função pública. Talvez nunca houvesse um homem que aparecesse na Nova Inglaterra a quem a denominação de *grande homem* fosse mais apropriada.

No entanto, embora fosse grande entre os homens, exaltado acima dos outros em habilidades, grandeza de espírito e função governamental, e não temesse o rosto dos homens, ainda temia a Deus. Ele era estritamente consciente em sua conduta, tanto publicamente quanto em caráter privado. Nunca conheci um homem que parecesse mais firme e imutável ao agir por princípios e de acordo com regras e máximas, estabilizado e consolidado em sua mente pelos ditames de seu julgamento e consciência. Ele era um homem de rigorosa justiça e fidelidade. A fidelidade era eminentemente seu caráter. Alguns de seus maiores oponentes que foram contrários a ele em assuntos públicos ainda assim reconheceram abertamente isso sobre ele, que era um homem fiel. Era notavelmente fiel em suas relações públicas; não trairia sua confiança por medo ou favor. Era vão esperar por isso, não importa como os homens pudessem se opor a ele ou negligenciá-lo, e quão grandes eles fossem. Tampouco negligenciaria o interesse público, quando comprometido com ele, por sua própria vontade, mas diligente e laboriosamente observava e trabalhava por isso noite e dia. Era fiel tanto em assuntos privados quanto públicos; um amigo muito fiel, fiel a qualquer

---

[32] Cf. Rm 13,4. (N.T.)

um que, de alguma forma, pedisse seu conselho; e sua fidelidade estaria presente em qualquer disputa que assumisse por seus semelhantes.

Foi exemplo notável da virtude da temperança, inalterável, em todos os lugares, em todas as companhias e em meio a todas as tentações.

Embora fosse um homem de forte personalidade, tinha um controle notável de seu espírito e se destacou no controle da língua. Em meio a todas as provocações que enfrentou, entre as inúmeras com as quais teve de lidar, a grande multiplicidade de assuntos desconcertantes com que se preocupava e toda oposição e censura a que estava sujeito a qualquer momento, no entanto, o que havia de sair de sua boca que seus inimigos pudessem usar contra ele? Nenhuma linguagem profana, nenhum discurso vaidoso, precipitado, indecoroso e anticristão. Se em algum momento ele se expressava com grande calor e vigor, parecia ser por princípio e determinação de seu julgamento, e não por paixão. Quando se expressava fortemente e com veemência, aqueles que o conheciam e o observavam de vez em quando podiam evidentemente ver que isso ocorrera em consequência de pensamento e julgamento, pesando as circunstâncias e as consequências das coisas.

A calma e a firmeza de seu comportamento em particular, especialmente em sua família, pareciam notáveis e exemplares para aqueles que tiveram mais oportunidades de observá-lo.

Ele estava completamente estabelecido naqueles princípios e doutrinas religiosas dos primeiros pais da Nova Inglaterra, geralmente chamados de *doutrinas da graça*, e detestava muito os erros opostos da atual teologia da moda, como muito contrária à palavra de Deus e à experiência de todo cristão verdadeiro. Como era um amigo da verdade, era também amigo da piedade vital e do poder da piedade, por isso sempre foi apoiado e favorecido por esses amigos em todas as ocasiões.

Detestava palavrões e era uma pessoa de espírito sério e decente, sempre tratando coisas sagradas com reverência. Era exemplar por sua participação decente no culto público a Deus. Quem o viu alguma vez irreverente e indecentemente descansando e deitando a cabeça para dormir, ou olhando e encarando a igreja durante o serviço divino? Era capaz (como foi observado anteriormente) de discursar com grande compreensão a respeito da religião experimental; para algumas pessoas com quem tinha muita intimidade, dava sugestões suficientemente claras ao conversar sobre tais coisas, as quais eram assuntos de sua própria experiência. Algumas pessoas sérias na autoridade civil que normalmente divergiam em questões de governo, ainda assim, em algumas conversas ocasionais sobre assuntos religiosos, manifestavam uma grande estima por ele quanto à verdadeira piedade experimental.

Como era conhecido por ser uma pessoa séria e inimiga de conversas profanas ou vaidosas, era temido por grandes e pequenos. Quando estava na sala, sua presença era suficiente para manter a decência, embora houvesse muitos homens considerados cavalheiros e ótimos grande homens, que em outra situação estariam dispostos a ter uma liberdade muito maior em suas conversas e comportamentos do que ousariam fazer em sua presença.

Ele não era indiferente à morte, nem insensível à própria fragilidade, nem a morte lhe foi inesperada. Nos últimos anos, falou muito com algumas pessoas sobre a morte e a entrada no mundo eterno, o que significa que não esperava continuar por muito tempo aqui.

Além de todas essas coisas que foram mencionadas a fim de torná-lo, acima de tudo, um *galho forte*, foi alvo de várias circunstâncias que tendiam a lhe dar vantagem para o exercício de sua força para o bem público. Ele era de ascendência honrosa, um homem de conteúdo considerável, uma autoridade há muito tempo, muito conhecido e honrado no exterior, muito apreciado por diversas tribos indígenas nas vizinhanças das colônias britânicas e, portanto, exercendo grande influência sobre eles acima de qualquer outro homem na Nova Inglaterra. Deus o dotou de uma presença agradável e majestade de semblante, atributos que se tornaram as grandes qualidades de sua mente e do lugar em que Deus o colocara.

No exercício dessas qualidades e desses dons, sob tais vantagens, ele tem sido, por assim dizer, um pai dessa parte do território, de quem todo o condado tinha, sob Deus, sua dependência em todos os assuntos públicos e especialmente desde o início da guerra atual[33]. Quanto peso de todas as preocupações bélicas do condado (que é a parte do território mais exposta ao inimigo) esteve sobre seus ombros, e como ele foi a fonte de todo movimento e o executor de todas as coisas que foram feitas, e quão sábio e fiel foi na condução desses assuntos não é necessário informar a esta congregação. Vocês bem sabem que ele cuidava do condado como pai de uma família com filhos, não negligenciando a vida dos homens nem os desconsiderando; com grande diligência, vigilância e prudência, aplicou-se continuamente aos meios adequados de nossa segurança e bem-estar. Especialmente esta cidade natal, onde morou desde a infância, colheu o benefício de sua feliz influência; sua sabedoria foi, sob Deus, nosso grande guia, e sua autoridade, nosso apoio e força. Tem sido uma grande honra para Northampton e conferiu beleza à nossa igreja.

Ele continuou a ser plenamente útil durante a vida; de fato, tinha uma idade consideravelmente avançada, mas suas capacidades mentais não foram sensivelmente reduzidas e sua força corporal não foi tão prejudicada, pois era capaz de fazer longas jornadas, em calor e frio extremos, e em pouco tempo.

Mas agora esse "galho forte está quebrado e seco". Certamente o julgamento de Deus será muito terrível e a dispensação pode ajudar na lamentação. Provavelmente seremos mais sensíveis ao valor e à importância de um galho tão forte por meio de sua falta. A voz terrível de Deus nesta providência é digna de ser atendida por toda a província,

---

[33] Guerra do Rei Jorge (1744-1748), durante a qual Grã-Bretanha e França lutaram entre si pelo controle da América do Norte. (N.T.)

e especialmente pelo povo deste condado, mas de uma maneira mais peculiar por nós desta cidade. Temos agora esse testemunho do desagrado divino que se soma a todas as outras nuvens escuras que Deus recentemente trouxe sobre nós e seu terrível olhar reprovador sobre nós. É uma dispensação, sob muitos aspectos, exigindo imensamente nossa humilhação e temor diante de Deus, uma terrível manifestação de seu domínio supremo, universal e absoluto, chamando-nos a adorar a soberania divina e a tremer diante da presença desse grande Deus. É um exemplo vivo de fragilidade e mortalidade humanas. Vemos como ninguém está fora do alcance da morte, que nenhuma grandeza, nenhuma autoridade, nenhuma sabedoria e sagacidade, nenhuma pessoa de maior honra ou posição, nenhum grau de valor e importância está isento do golpe da morte. Portanto, este é um aviso alto e solene a todos para se prepararem para a sua partida.

A memória dessa pessoa que agora se foi, que foi tão abençoada enquanto viveu, deve nos compelir a mostrar respeito e bondade para com sua família. Devemos fazer isso por respeito a ele e ao pai, seu antigo e eminente pastor, que em sua época era, de maneira notável, um pai dessa parte da terra em assuntos espirituais e especialmente desta cidade, do mesmo modo que seu filho foi em assuntos temporais. Deus se ressentiu muito quando os filhos de Israel não mostraram bondade para com a casa de Jerubaal, que havia sido um instrumento de grande bem para eles: "Nem usaram de benevolência com a casa de Jerubaal, a saber, Gideão, segundo todo o bem que ele fizera a Israel", (Jz 8,35).

SERMÃO DE DESPEDIDA

"Como também já em parte nos compreendestes, que somos a vossa glória, como igualmente sois a nossa no Dia de Jesus, nosso Senhor", (2 Co 1,14).

O apóstolo, na parte anterior do capítulo, declara os grandes problemas que encontrou no decorrer de seu ministério. No texto e nos dois versículos, declara quais eram seus confortos e apoios em meio aos problemas que enfrentou. Há quatro coisas em particular.

1. Que ele estava satisfeito com sua própria consciência: "Porque a nossa glória é esta: o testemunho da nossa consciência, de que, com santidade e sinceridade de Deus, não com sabedoria humana, mas, na graça divina, temos vivido no mundo e mais especialmente para convosco", (2 Co 1,12).
2. Outra coisa de que fala como questão de conforto é que, do mesmo modo que estava satisfeito com sua própria consciência, também estava satisfeito com a consciência de seus ouvintes, os coríntios, aos quais agora escrevia, e que eles o apoiariam no dia do julgamento.

3. A esperança que tinha em ver o fruto abençoado de seus trabalhos e sofrimentos no ministério, na felicidade e glória deles, naquele grande dia de acerto de contas.
4. Em seu ministério entre os coríntios, havia agradado seu Juiz, o qual aprovaria e recompensaria sua fidelidade naquele dia.

Esses três últimos detalhes são destacados no meu texto e no versículo anterior e, de fato, todos os quatro estão subentendidos no texto. Está implícito que os coríntios o reconheceram como seu pai espiritual e como um dos que foram fiéis entre eles, sendo o meio de sua futura alegria e glória no dia do julgamento, aquele que deveriam ver e com quem teriam um encontro alegre. Está subentendido que o apóstolo esperava naquele momento ter um encontro alegre com eles perante o Juiz, e com alegria contemplar a glória deles como fruto de seus trabalhos; assim, eles seriam sua alegria. Também está subentendido que esperava ser aprovado pelo grande Juiz, quando ele e os outros se reunissem diante dele; que o Juiz então reconheceria sua fidelidade, e que esse tinha sido o meio de sua glória; e que assim ele iria, por assim dizer, oferecê-los a ele como sua coroa de regozijo. Mas isso o apóstolo não poderia esperar a menos que tivesse o testemunho de sua própria consciência a seu favor. Portanto, as palavras implicam, da maneira mais forte, que estava satisfeito com sua própria consciência.

Há uma coisa subentendida em cada uma dessas particularidades e em todas as partes do texto. É esse ponto que se tornará o assunto do meu discurso atual, a saber:

DOUTRINA

Os ministros e as pessoas que estão sob seus cuidados devem se encontrar perante o tribunal de Cristo no dia do julgamento.

Os ministros e as pessoas que estão sob seus cuidados devem se separar neste mundo, não importando quão bem eles se uniram; se não foram separados antes, devem ser separados pela morte; podendo também ficar separados enquanto a vida continua. Vivemos em um mundo de mudanças, onde nada é certo ou estável, e onde, em pouco tempo, algumas voltas do Sol provocam coisas estranhas, alterações surpreendentes em pessoas em particular, em famílias, em cidades e igrejas, países e nações. Muitas vezes acontece que aqueles que parecem mais unidos em pouco tempo ficarão mais desunidos e mais distantes. Assim, ministros e pessoas entre os quais houve a maior consideração mútua e a mais estrita união podem não apenas diferir em seus julgamentos, alienando-se em afeto, mas um pode se separar do outro e toda a relação entre eles se dissolver; o ministro pode ser deslocado para um lugar distante, e talvez nunca mais terão convívio neste mundo. Mas, se for assim, há mais um encontro que devem ter, e isso será no último grande dia de acerto de contas.

Aqui mostrarei,

I. De que maneira os ministros e as pessoas que estão sob seus cuidados se encontrarão no dia do julgamento.
II. Com que propósitos.
III. Por quais razões Deus ordenou que ministros e seu povo se reúnam dessa maneira e com tais propósitos.

I. Mostrarei, em alguns detalhes, de que maneira os ministros e as pessoas que estão sob seus cuidados se encontrarão no dia do julgamento. Em relação a isso, farei observações sobre duas coisas em geral.
1. Que eles não se encontrarão do mesmo modo que toda a humanidade deve se reunir, mas que haverá algo peculiar na maneira de se encontrarem.
2. Que o encontro deles nesse momento será muito diferente do que costumava ser na casa de Deus neste mundo.
1. Eles não se encontrarão nesse dia como todo o mundo deve se reunir. Apontarei uma diferença em dois aspectos.

(1) Quanto a uma visão clara e real, além de conhecimento e observações diferentes entre eles.

O mundo inteiro estará presente, toda a humanidade, de todas as gerações, reunida em uma vasta assembleia, com toda a natureza angélica, tanto os eleitos quanto os anjos caídos. Todavia, não precisamos supor que todos tenham um conhecimento distinto e particular de cada indivíduo da multidão, que sem dúvida consistirá em muitos milhões de milhões. Embora seja provável que a capacidade dos homens seja muito maior do que agora em seu estado atual, ela não é infinita; mesmo que sua percepção e compreensão sejam vastamente ampliadas, os homens não serão deificados. Provavelmente determinadas pessoas terão uma visão muito ampla de várias partes e membros dessa assembleia, e também dos procedimentos desse grande dia. No entanto, deve ser necessário que, de acordo com a natureza das mentes finitas, algumas pessoas e coisas nesse dia sejam mais vistas por determinadas pessoas do que por outras, e isso (como podemos supor) se deve a uma consideração mais próxima por alguns do que por outros, nas questões do dia. Haverá uma razão especial pela qual aqueles que tiveram considerações especiais entre si neste mundo, em seu estado de provação, e cujos assuntos comuns serão então provados e julgados, devam ser especialmente colocados frente a frente. Assim, podemos supor que governantes e súditos, juízes terrenos e aqueles quem eles julgaram, vizinhos que conversaram entre si, com negociações e disputas, chefes de família e seus filhos e servos se encontrarão e, em uma distinção peculiar, serão reunidos. Particularmente será assim com os ministros e seu povo. É evidente pelo texto que ficarão frente a frente, se conhecerão distintamente e terão uma percepção especial um do outro nesse momento.

(2) Eles se reunirão por terem uma consideração especial entre si nas grandes questões desse dia. Mesmo encontrando o mundo inteiro nesse momento, eles não terão nenhuma preocupação imediata e particular com todos. Sim, a maior parte daqueles que serão reunidos

não tiveram relações em seu estado de provação e, portanto, não terão preocupações mútuas a serem julgadas. Mas, quanto aos ministros e às pessoas que estão sob seus cuidados, eles tiveram muitas considerações imediatas entre si sobre assuntos desse momento de maior importância, mais do que a humanidade já teve na história. Portanto, eles particularmente devem se reunir e se colocar perante o Juiz, por terem especial consideração mútua na concepção e nos assuntos desse grande dia de acontecimentos.

Assim, o seu encontro, quanto a sua maneira de ser, será diferente do encontro da humanidade em geral.

2. O seu encontro no dia do julgamento será muito diferente dos encontros que tiveram neste mundo.

Ministros e seu povo, enquanto a relação entre eles existir, geralmente se reúnem neste mundo. Costumam se reunir de Sabá a Sabá, e em outros momentos, para o culto público a Deus, administração de ordenanças e serviços solenes da casa de Deus. Além desses encontros, também ocasionalmente se reúnem para determinar e administrar seus assuntos eclesiásticos, para o exercício da disciplina da igreja e para estabelecer e ajustar as coisas que dizem respeito à pureza e à boa ordem das administrações públicas. Mas seu encontro no dia do julgamento será extremamente diferente, em sua maneira e circunstância, de quaisquer encontros e entrevistas que tiveram entre si no estado atual. Farei observações sobre a maneira, com alguns detalhes.

(1) Agora eles se reúnem em um estado mutável preparatório, mas depois se reunirão em um estado imutável.

Agora os pecadores da congregação encontram seu ministro em um estado em que são capazes de uma mudança salvadora, capazes de serem transformados, por meio da bênção de Deus sobre os ministérios e trabalhos de seu pastor, do poder de Satanás para Deus e de serem tirados de um estado de culpa, condenação e ira, para um estado de paz e favor com Deus, para o desfrute dos privilégios de seus filhos e um título para sua herança eterna. Os santos agora encontram seu ministro com grandes resquícios de corrupção e, às vezes, sob grandes dificuldades e aflições espirituais; ainda sim, são os sujeitos adequados para serem meios de uma feliz alteração de seu estado, consistindo em uma liberdade dessas coisas. Eles têm motivo de ansiar por isso através da participação de ordenanças, das quais Deus se agrada comumente em fazer de seus ministros os instrumentos. Os ministros e seu povo agora se reúnem a fim de levar a efeito essas mudanças felizes; elas são os grandes benefícios buscados em seus encontros solenes neste mundo.

No entanto, quando se encontrarem no dia do julgamento, será muito diferente. Eles não se reunirão a fim de usarem os meios para efetivar essas mudanças, pois todos se encontrarão em um estado imutável. Os pecadores permanecerão em um estado imutável; estarão sob a culpa e o poder do pecado, e terão a ira de Deus sobre eles. Estarão além de qualquer solução ou possibilidade de mudança e encontrarão seus ministros sem nenhuma esperança de alívio ou solução, nem obterão qualquer bem por seus meios. Com relação aos santos, eles já estarão perfeitamente libertos de todos os resquícios de corrupção, tentações e calamidades diversas, e ficarão para sempre fora de seu alcance. Nenhuma libertação, nenhuma alteração feliz ainda terá que ser realizada quanto ao modo de uso dos meios da graça, sob as administrações dos ministros. Será então pronunciado: "Continue o injusto fazendo injustiça, continue o imundo ainda sendo imundo; o justo continue na prática da justiça, e o santo continue a santificar-se"[34].

(2) Assim se encontrarão em um estado de luz clara, certa e infalível.

Os ministros são colocados como guias e professores, e são representados nas Escrituras como luzes colocadas nas igrejas; no estado atual, encontram seu povo de tempos em tempos para instruí-los e esclarecê-los, corrigindo seus erros e sendo uma voz atrás deles quando

---

[34] Ap 22,11. (N.T.)

se desviam para a direita ou para a esquerda, dizendo: "este é o caminho, andai por ele"[35]; revelando e confirmando a verdade, exibindo suas próprias evidências, refutando erros e opiniões corruptas, convencendo aqueles que estão enganados e esclarecendo as dúvidas. Mas, quando Cristo vier ao julgamento, todos os erros e opiniões falsas serão detectados; todo engano e ilusão desaparecerão diante da luz daquele dia, assim como a escuridão da noite desaparecerá com o surgimento do Sol nascente; e toda doutrina da Palavra de Deus aparecerá então em plena evidência, e ninguém permanecerá não convencido; todos conhecerão a verdade com a maior certeza, e não haverá erros para corrigir.

Atualmente, os ministros e seu povo podem discordar de seus julgamentos a respeito de alguns assuntos religiosos, e às vezes podem se reunir para conversar a respeito das coisas sobre as quais diferem e para ouvir os motivos que podem ser dados por um lado e por outro; e todos podem ser ineficazes quanto a qualquer convicção da verdade. Eles podem se encontrar e se separar novamente, não mais em acordo do que antes; aquele lado que estava errado ainda pode permanecer imóvel. Às vezes, os encontros de ministros com seu povo, em casos de sentimentos discordantes, são acompanhados de infeliz debate e controvérsia, realizados com muito preconceito e falta de sinceridade, não tendendo à luz e à convicção, mas sim para confirmar e aumentar as trevas e estabelecer oposição à verdade e alienação do afeto um pelo outro. Mas, quando se encontrarem no futuro, no dia do julgamento, perante o tribunal do grande Juiz, a mente e a vontade de Cristo serão conhecidas e não haverá mais debate ou diferença de opiniões; a evidência da verdade deve aparecer além de toda disputa, e todas as controvérsias serão finalmente e para sempre decididas.

Nos dias de hoje, os ministros encontram seu povo a fim de iluminarem e despertarem a consciência dos pecadores, colocando diante deles

---

35 Is 30,21. (N.T.)

o grande mal e o perigo do pecado, a rigidez da lei de Deus, a própria maldade deles de coração e prática, a grande culpa sob a qual estão, a ira que habita neles, e sua impotência, cegueira, pobreza e condição desamparada e arruinada. No entanto, tudo é geralmente em vão; eles ainda permanecem, apesar de todas as falas dos ministros, estúpidos e não despertos, com suas consciências não convencidas. Mas não será assim em seu último encontro no dia do julgamento; os pecadores, quando encontrarem seu ministro diante de seu grande Juiz, não o encontrarão com uma consciência estúpida; serão totalmente convencidos da verdade daquilo que anteriormente ouviram dele a respeito da grandeza e terrível majestade de Deus, sua santidade e ódio ao pecado e sua terrível justiça em puni-lo, o rigor de sua lei, o pavor e a verdade de suas ameaças, e sua própria culpa e miséria indescritíveis. Nunca mais serão insensíveis a essas coisas; os olhos da consciência serão agora totalmente iluminados e nunca mais serão cegados. A boca da consciência será então aberta e nunca mais se fechará.

Agora os ministros se reúnem com seu povo, em público e em particular, a fim de esclarecer a eles o estado da alma deles; abrem e aplicam as regras da Palavra de Deus a eles, a fim de procurarem no coração deles e discernirem o estado em que estão. Mas agora os ministros não têm discernimento infalível do estado das almas de seu próprio povo, e os mais hábeis entre eles são passíveis de erros, frequentemente se enganando em coisas dessa natureza. Tampouco o povo é capaz de conhecer com certeza o estado de seu ministro ou o estado uns dos outros. Com grande frequência, há aqueles que são vistos como santos, até santos eminentes, mas são grandes hipócritas; por outro lado, há aqueles que sao às vezes censurados, ou que dificilmente são recebidos em sua caridade, que são realmente algumas das joias de Deus. Nada é mais comum do que enganar os homens em relação ao seu próprio estado; muitos que são abomináveis a Deus, e os filhos de sua ira, têm grande consideração por si mesmos, enxergando-se como seus santos preciosos e filhos queridos. Sim, há razões para pensar que, muitas vezes, aqueles que são mais ousados na confiança de seu estado seguro e feliz e se consideram não apenas santos verdadeiros, mas os santos mais eminentes da congregação, são, de maneira peculiar, fumaça no nariz de Deus[36]. Assim, sem dúvida, frequentemente estão naquelas congregações onde a Palavra de Deus é mais fielmente dispensada, apesar de tudo o que os ministros são capazes de dizer em suas explicações mais claras e nas aplicações mais exigentes das doutrinas e regras da Palavra de Deus às almas de seus ouvintes, em seus encontros uns com os outros. Mas, no dia do julgamento, terão outro tipo de encontro; os segredos de todos os corações serão manifestos, e o estado de cada homem será perfeitamente conhecido. Conforme: "Portanto, nada julgueis antes do tempo, até que venha o Senhor, o qual não somente trará à plena luz as coisas ocultas das trevas, mas também manifestará os desígnios dos corações; e, então, cada um receberá o seu louvor da parte de Deus", (1 Co 4,5). Assim, ninguém será enganado em relação ao seu próprio estado, nem mais haverá dúvidas sobre ele. Haverá um fim eterno para todas as más ideias e vãs esperanças dos hipócritas iludidos e para todas as dúvidas e medos dos cristãos sinceros. Então todos conhecerão o estado das almas uns dos outros: o povo saberá se seu ministro foi sincero e fiel, e os ministros conhecerão o estado de cada um de seu povo, e para quem a palavra e as ordenanças de Deus foram um aroma de vida para a vida, e para quem foram um cheiro de morte para a morte[37].

Agora, neste estado atual, muitas vezes acontece que, quando ministros e pessoas se encontram para debaterem e administrarem seus assuntos eclesiásticos, especialmente em um estado de controvérsia, estão prontos para julgar e censurar uns aos outros em relação às visões e desígnios de cada um, e os princípios e fins pelos quais cada um é

---

36 Referências à fumaça oriunda do nariz ou das narinas de Deus são encontradas em (Sl, 18,5 e Sl 18,8). (N.T.)
37 Cf. 2 Co 2,16. (N.T.)

influenciado; estão grandemente enganados em seu julgamento, e se enganam mutuamente no que diz respeito às visões e desígnios uns dos outros, e os princípios e fins pelos quais cada um é influenciado. São grandemente enganados em seu julgamento, e errados uns com os outros em suas censuras. Mas, nesse encontro futuro, as coisas serão colocadas sob uma luz verdadeira e perfeita e, certamente, serão conhecidos os princípios e objetivos pelos quais todos agiram. Haverá um fim para todos os erros desse tipo e todas as censuras injustas.

(3) Neste mundo, os ministros e seu povo frequentemente se encontram para ouvir e esperar um Senhor invisível; mas no dia do julgamento se encontrarão em sua presença mais imediata e visível.

Ministros, que agora muitas vezes encontram seu povo para pregar o Rei eterno, imortal e invisível, para convencê-los de que existe um Deus e declarar a eles que tipo de ser Ele é, para convencê-los de que Ele governa e que julgará o mundo, que há um futuro estado de recompensas e punições, e pregar para eles um Cristo no céu e à direita de Deus em um mundo invisível, então encontrarão seu povo na presença mais consciente e imediata desse grande Deus, Salvador e Juiz, que aparecerá da maneira mais clara, visível e aberta, com grande glória, com todos os seus santos anjos, diante deles e do mundo inteiro. Eles não os encontrarão para ouvirem sobre um Cristo ausente, um Senhor invisível e futuro Juiz, mas para comparecerem diante daquele Juiz e estarem reunidos na presença daquele Senhor supremo, em sua imensa glória e terrível majestade, sobre quem ouviram tantas vezes em seus encontros na Terra.

(4) O encontro no último dia, de ministros e das pessoas sob seus cuidados, não contará com a presença de ninguém estiver com o coração descuidado e desatento.

Muitas pessoas frequentam seus encontros neste mundo, tendo pouca consideração por aquele a quem fingem se unir em adoração nos solenes deveres de seu culto público, descuidando-se dos próprios pensamentos ou estado de espírito, não atendendo aos assuntos em que estão envolvidas nem considerando o fim para o qual se reúnem. Mas o encontro nesse grande dia será muito diferente; não haverá um coração desatento, nem sonolento, nem mente distraída por causa da grande importância da reunião, nem desatenção aos assuntos do dia, nem falta de consideração diante da presença da qual estão, ou das grandes mensagens que ouvirão de Cristo nesse encontro, ou do que sobre o que os ministros falaram Dele e sobre Ele em sua reunião, em estado de provação, ou do que agora ouvirão seus ministros declarar a respeito deles perante seu Juiz.

Tendo observado essas coisas a respeito da maneira e das circunstâncias desta futura reunião de ministros e das pessoas que estavam sob seus cuidados, perante o tribunal de Cristo no dia do julgamento, prossigo agora:

II. Para observar por quais propósitos eles devem se encontrar.

1. Para prestar contas, diante do grande Juiz, sobre o comportamento deles com os outros durante a relação que tiveram neste mundo.

Os ministros são enviados por Cristo ao seu povo sob seus cuidados. São seus servos e mensageiros; quando terminam o serviço, devem retornar ao mestre para dar-lhe um relato do que fizeram e da alegria que tiveram no desempenho de seu ministério. Assim, encontramos em (Lc 14,16-21) que, quando o servo enviado para chamar os convidados para a grande ceia cumpriu sua missão e terminou o serviço designado, retornou ao seu mestre e relatou o que havia feito e a alegria alcançada. Quando o mestre, zangado, enviou seu servo para os outros, voltou mais uma vez e fez um relato de sua conduta e sucesso. Então lemos sobre os ministros sendo governantes na casa de Deus: "Pois velam por vossa alma, como quem deve prestar contas", (Hb 13,17). Vemos, pelo mencionado em (Lc 14, 16-21), que os ministros devem prestar contas ao seu mestre não apenas sobre seu próprio comportamento no desempenho de seus cargos, mas também sobre a forma como foram recebidos deles por parte do povo e como foram tratados entre eles.

Assim, como serão chamados a prestar contas de ambos, farão isso no grande dia de acerto de contas na presença de seu povo e do seu juiz.

Os ministros fiéis prestarão contas com alegria a respeito daqueles que os receberam bem e fizeram um bom aprimoramento de seu ministério; essas pessoas serão recebidas por seus ministros, nesse dia, como coroa de regozijo. Ao mesmo tempo, prestarão conta dos maus-tratos daqueles que não os receberam bem e de suas mensagens de Cristo; eles os encontrarão não como costumavam fazer neste mundo, para aconselhá-los e adverti-los, mas para dar testemunho contra eles, e, como seus juízes e avaliadores com Cristo, para condená-los. Por outro lado, nesse dia, o povo se levantará em julgamento contra ministros iníquos e infiéis que buscaram seu próprio interesse temporal mais do que o bem das almas de seu rebanho.

1. Nesse momento, os ministros e as pessoas que estavam sob seus cuidados se reunirão diante de Cristo, para que Ele possa julgar qualquer controvérsia que tenha subsistido entre eles neste mundo.

Assim, neste mundo maligno, frequentemente surgem grandes diferenças e controvérsias entre ministros e as pessoas que estão sob seus cuidados pastorais. Embora tenham a obrigação de viverem em paz, acima de quase todas as relações com outras pessoas. Embora disputas e divergências entre pessoas muito próximas tenham as consequências mais infelizes e terríveis, em muitas situações e em qualquer tipo de disputa, esses conflitos são frequentes! Às vezes, as pessoas contestam seus ministros sobre sua doutrina, outras contestam sobre as administrações e conduta e em outras sobre sua manutenção. Algumas vezes tais contestações continuam por muito tempo; de quando em quando são decididas neste mundo de acordo com o interesse predominante de uma parte ou de outra, e não pela Palavra de Deus e a razão das coisas; em alguns casos, tais controvérsias nunca têm uma determinação adequada neste mundo.

Mas no dia do julgamento haverá a decisão final, perfeita e eterna sobre elas. O Juiz infalível, a fonte infinita de luz, verdade e justiça, julgará entre as partes em disputa e declarará qual é a verdade, quem está certo e o que é agradável à sua mente e vontade. Para isso, as partes devem estar juntas diante Dele no último dia, que será o grande dia da conclusão e definição de todas as controvérsias, retificação de todos os erros e abolição de todos os julgamentos injustos, erros e confusões que antes existiam no mundo da humanidade.

2. Os ministros e as pessoas que estão sob seus cuidados devem se reunir nesse momento para receberem uma sentença eterna e uma retribuição do Juiz, na presença uns dos outros, de acordo com seu comportamento na relação que mantinham entre si no estado atual.

O Juiz não apenas declarará justiça, mas fará justiça entre os ministros e seu povo. Ele declarará o que é certo entre eles, aprovando aquele que foi justo e fiel e condenando os injustos; e a perfeita verdade e equidade ocorrerão na sentença que ele passar, nas recompensas que concederá e nos castigos que infligir. Haverá uma recompensa gloriosa para ministros fiéis, para aqueles que foram bem-sucedidos: "Os que forem sábios, pois, resplandecerão como o fulgor do firmamento; e os que a muitos conduzirem à justiça, como as estrelas brilharão sempre e eternamente", (Dn 12,3), e também àqueles que foram fiéis e ainda não obtiveram êxito: "Eu mesmo disse: debalde tenho trabalhado, inútil e vãmente gastei as minhas forças; todavia, o meu direito está perante o Senhor, a minha recompensa, perante o meu Deus", (Is 49,4). Aqueles que os receberam bem e lhes deram alegria serão gloriosamente recompensados: "Quem vos recebe a mim Me recebe; e quem Me recebe, recebe aquele que me enviou. Quem recebe um profeta, no caráter de profeta, receberá o galardão de profeta; quem recebe um justo, no caráter de justo, receberá o galardão de justo", (Mt 10,40-41). Essas pessoas e seus fiéis ministros serão a coroa de regozijo uns dos outros: "Pois quem é a nossa esperança, ou a nossa alegria, e a nossa coroa em que exultamos, na presença de nosso Senhor Jesus em sua vinda? Não sois vós? Sim, vós sois realmente a nossa glória e a nossa alegria!" (1 Ts 2,19-20). E no texto: *Somos a vossa glória, como igualmente sois a nossa no Dia de Jesus, nosso Senhor*[38]. Mas aqueles que rogam pelo mal dos fiéis ministros de Cristo, especialmente naquilo em que são fiéis, serão severamente punidos: "Se alguém não vos receber, nem ouvir as vossas palavras, ao sairdes daquela casa ou daquela cidade, sacudi o pó dos vossos pés. Em verdade vos digo que menos rigor haverá para Sodoma e Gomorra, no Dia do Juízo, do que para aquela cidade", (Mt 10,14-15). Em: "De Levi disse: Dá, ó Deus, o teu Tumim e o teu Urim para o homem, teu fidedigno... Ensinou os teus juízos a Jacó e a tua lei, a Israel... Abençoa o seu poder, ó Senhor, e aceita a obra das suas mãos, fere os lombos dos que se levantam contra ele e o aborrecem, para que nunca mais se levantem", (Dt 33,8-11). Por outro lado, aqueles ministros que forem considerados infiéis terão uma punição terrível. Vejam Ez 33,6 e Mt 23,1-33.

Assim, a justiça será administrada no grande dia aos ministros ao povo. Para esse fim se reunirão, não apenas para que recebam justiça sobre si mesmos, como também vejam a justiça feita com a outra parte; pois este é o fim desse grande dia, para revelar ou declarar o justo julgamento de Deus, conforme (Rm 2,5). Os ministros sofrerão a justiça e a verão feita com seu povo; e o povo receberá a justiça e a verá feita com seu ministro. Assim, todas as coisas serão ajustadas e estabelecidas para sempre entre eles; cada um sendo sentenciado e recompensado de acordo com suas obras, seja recebendo a coroa de eterna alegria e glória, seja sofrendo vergonha e dor eternas.

Passo agora à próxima proposição, a saber,

II. dar algumas razões pelas quais podemos supor que Deus tenha ordenado aos ministros e às pessoas que estavam sob seus cuidados

---

[38] 2 Co 1,14. (N.T.)

reunissem no dia do julgamento, dessa maneira e com tais propósitos.
Há duas coisas sobre as quais faria observações agora:
1. As preocupações mútuas dos ministros e de povo são da maior importância.

A Escritura declara que Deus trará toda obra a julgamento, com todos os segredos, sejam bons sejam maus. É conveniente que todas as preocupações e todos os comportamentos da humanidade, tanto públicos como privados, sejam apresentados ao tribunal de Deus e, finalmente, determinados por um Juiz extremamente cuidadoso é especialmente necessário que seja assim no que se refere aos assuntos de suma importância

Pois bem, as preocupações de um ministro cristão e de sua igreja e congregação são importantíssimas, e em alguns aspectos de relevância são maiores que as dos monarcas e de seus reinos ou impérios. O modo como desempenham suas funções, como se comportam com seu povo no exercício do ministério e nos assuntos relativos a ele, reflete muito na maneira como o povo recebe e considera um ministro de Cristo. Essas atitudes estão diretamente ligadas ao grande e último fim para o qual o homem foi feito e o bem-estar eterno da humanidade, que quaisquer preocupações temporais dos homens, sejam públicas ou privadas. Portanto, é indispensável que esses assuntos sejam levados a julgamento e abertamente determinados e resolvidos na verdade e justiça; para isso, os ministros e seu povo devem se reunir diante do Juiz onisciente e infalível.

2. As preocupações mútuas dos ministros e de seu povo têm uma relação especial com as principais coisas pertinentes ao dia do julgamento, pois estão diretamente ligadas àquela grande e divina pessoa que aparecerá como Juiz. Os ministros são os mensageiros enviados por Ele e, em sua função e exercício com seu povo, representam a pessoa, permanecem no lugar Dele, como aqueles que são enviados para declarar a mente Dele, para fazer o trabalho Dele e para falar e agir em

nome dele. Portanto, é conveniente que devam retornar a ele, para relatarem seu trabalho e sucesso. O rei é o juiz de todos os seus súditos, todos estão sob sua responsabilidade. Mas é particularmente ainda mais necessário que os ministros do rei, a quem sobretudo são delegadas as administrações de seu reino e que são enviados para alguma negociação especial, devam retornar a Ele, para relatar sobre si mesmos, sobre o cumprimento da confiança neles depositada e a recepção que tiveram.

Os ministros não são apenas mensageiros da pessoa que no último dia aparecerá como Juiz, porém a missão a que são enviados e os assuntos confiados a eles como seus ministros relacionam-se de forma mais imediata à honra e ao interesse do seu reino. O trabalho a que são enviados é o de promover os projetos de sua administração e governo; assim, os negócios com seu povo têm uma relação próxima com o dia do julgamento. Pois o grande objetivo desse dia é o de resolver e estabelecer completamente os assuntos de seu reino, ajustar todas as coisas que Lhe pertencem e remover tudo que seja contrário aos interesses de seu reino, que cada coisa que contribua para sua completude e glória possa ser aperfeiçoada e confirmada e que esse grande Rei possa receber sua devida honra e glória.

Mais uma vez, as preocupações mútuas dos ministros e de seu povo têm uma relação direta com as do dia do julgamento, pois a missão dos ministros com seu povo é a de promover a salvação eterna das almas dos homens e sua fuga da condenação eterna. Portanto é o dia indicado para esse fim: decidir definitivamente e resolver a condição dos homens, estabelecer quais irão para a salvação eterna e levar sua salvação à consumação final, além de estabelecer quais irão para a condenação eterna e da mais profunda miséria. As preocupações mútuas de ministros e do povo têm uma relação mais direta com o dia do julgamento, pois a própria elaboração do trabalho do ministério é a preparação do povo para esse dia.

Os ministros são enviados para avisá-los da abordagem desse dia. Devem preveni-los da sentença terrível a ser proferida sobre os ímpios, declarar-lhes a sentença abençoada a ser proferida sobre os justos, usar meios com eles para que possam escapar da ira que afligirá os ímpios e obter a recompensa a ser concedida aos santos.

Como as preocupações mútuas dos ministros e de seu povo têm uma relação tão próxima e direta com esse dia, é particularmente aconselhável que essas inquietações sejam trazidas para esse momento, para serem resolvidas e concluídas. Por isso, os ministros e seu povo devem se reunir e aparecer juntos diante do grande Juiz nesse dia.

APLICAÇÃO

O desenvolvimento que farei sobre os pontos observados é levar as pessoas aqui presentes e que estão sob meu cuidado pastoral a reflexões e dar-lhes alguns conselhos apropriados às nossas circunstâncias atuais, relacionando-as com o que foi feito ultimamente para ficarmos separados e com aquilo que mantivemos uns com os outros, mas esperando nos encontrarmos perante o grande tribunal no dia do julgamento.

A profunda e séria consideração sobre nosso futuro, encontro mais solene, é certamente a mais apropriada em um momento como este. Ultimamente, por aquilo que foi feito, muito provavelmente, acontecerá – no que diz respeito à nossa relação até agora – uma separação eterna.

Quantas vezes nos encontramos na casa de Deus nessa relação! Quantas vezes falei com vocês, instruí, aconselhei, avisei, dirigi, alimentei e administrei ordenanças entre vocês, como pessoas comprometidas com meus cuidados e por cujas preciosas almas eu era responsável! Mas com toda certeza isso nunca mais acontecerá.

O profeta Jeremias, lembra as pessoas sobre quanto tempo trabalhou entre elas na obra do ministério: "Durante vinte e três anos, desde o décimo terceiro de Josias, filho de Amom, rei de Judá, até hoje, tem vindo a mim a palavra do Senhor, e, começando de madrugada, eu vo-la tenho anunciado", (Jr 25,3). Não estou prestes a me comparar com o profeta Jeremias. No entanto, a esse respeito, posso dizer, do mesmo modo que ele fez: "Eu tenho anunciado a vocês a palavra do Senhor por vinte e três anos, começando de madrugada". Faz vinte e três anos, completados no dia 15 de fevereiro passado, desde que comecei a trabalhar no ministério, na relação de pastor com esta igreja e congregação. Embora a força tenha sido frágil, tendo sempre trabalhado sob grande enfermidade do corpo, além da minha insuficiência por ter uma carga tão grande em outros aspectos, não poupei minha tênue força, mas a exerci para o bem de suas almas. Posso apelar para vocês, como o apóstolo faz aos seus apoiadores, em: "E vós sabeis que vos preguei o evangelho a primeira vez por causa de uma enfermidade física", Gl 4,13. Passei o auge da minha vida e força em trabalhos para o seu bem-estar eterno. Vocês são testemunhas de que, com a força que tive, não caí na ociosidade, nem prossegui em acusar esquemas mundanos e administrar assuntos temporais para o avanço de minha propriedade exterior e para engrandecer a mim e à minha família, mas sim me dediquei inteiramente à obra do ministério, trabalhando noite e dia, levantando cedo e me aplicando a este grande compromisso para o qual Cristo me designou. Acredito que a obra do ministério entre vocês foi realmente grande, uma obra de extremo cuidado, trabalho e dificuldade; muitos foram os fardos pesados que carreguei e para os quais minha força foi muito desigual. Deus me chamou para carregar esses fardos; bendigo o seu nome, pois Ele me apoiou a ponto de me impedir de afundar debaixo deles, e porque seu poder aqui se manifestou em minha fraqueza, de modo que, embora muitas vezes tenha sido perturbado por todos os lados, ainda assim não me angustiei; perplexo, mas não desesperado; derrubado, mas não destruído.

No entanto, agora tenho motivos para pensar que meu trabalho, aquilo que fiz como seu ministro, está terminado; vocês me rejeitaram publicamente, e minhas oportunidades cessaram.

Como é importante agora considerarmos o momento em que teremos a obrigação de nos encontrar diante do Pastor principal! Quando deverei prestar contas da minha administração, do serviço que presto e da recepção e tratamento que recebi entre as pessoas para as quais Ele me enviou. Vocês deverão prestar contas de sua própria conduta em relação a mim e do desenvolvimento que tiveram durante esses vinte e três anos do meu ministério. Assim, apareceremos juntos, e todos deveremos prestar contas, a fim de que uma sentença infalível, justa e eterna seja proferida a nós por aquele que nos julgará com respeito a tudo o que dissemos ou fizemos em nosso encontro aqui, toda nossa conduta uns com os outros, na casa de Deus e em outros lugares, no Sabá e nos outros dias. Ele testará o nosso coração e manifestará nossos pensamentos, e os princípios e as estruturas de nossa mente; Ele nos julgará com respeito a todas as controvérsias que subsistiram entre nós, com a mais estrita imparcialidade, e examinará nosso tratamento uns com os outros nessas controvérsias. Não há nada encoberto que não seja revelado, nem oculto que não seja conhecido[39]; tudo será examinado à luz inquisitiva e penetrante da onisciência e glória de Deus, e por aquele cujos olhos são como uma chama de fogo; a verdade e o direito devem aparecer claramente, sendo despidos de todo véu e todo erro, toda falsidade, injustiça e injúria serão expostos, despidos de todo disfarce; toda pretensão ilusória, todo desprezo e todo raciocínio falso desaparecerão em um instante, como não sendo capazes de suportar a luz daquele dia. Assim, nosso coração será virado ao avesso e os segredos serão mostrados mais claramente do que nossas ações externas agora. Em seguida, aparecerão os fins aos quais almejamos, os princípios de governança

---

[39] Cf. Ec 12,14, Mt 10,26, Mc 4,22, Lc 8,17, Lc 12,2, Ef 5,13 e 1 Co 4,5. (N.T.)

pelos quais agimos e as disposições que exercemos em nossas disputas e contestações eclesiásticas. Então, será mostrado que agi corretamente, e com uma consideração verdadeiramente consciente e cuidadosa com relação ao meu dever para com o meu grande Senhor e Mestre, no que diz respeito a algumas controvérsias eclesiásticas anteriores, as quais foram tratadas com circunstâncias e consequências infelizes excessivas. Será mostrado se houve qualquer causa justa para o ressentimento manifestado nessas ocasiões. Assim, nossa grande controvérsia tardia, relativa às qualificações necessárias para a admissão aos privilégios dos membros em completa representatividade na igreja visível de Cristo, será examinada e julgada em todas as suas partes e circunstâncias, e o todo exposto de maneira clara, certa e sob perfeita luz. Além disso, será mostrado se a doutrina que preguei e sobre a qual publiquei é a doutrina de Cristo, se Ele não a possuirá como uma das preciosas verdades que procederam de sua própria boca e não a reivindicará e honrará como tal diante de todo o universo. Assim, será mostrado o que se entende por: "um homem que não trazia veste nupcial"[40] (Mt 22,13), pois esse é o dia mencionado, em que tal pessoa terá suas mãos e pés atados e será lançada à escuridão externa, onde haverá choro e ranger de dentes. Então será mostrado se, ao declarar essa doutrina e agir de acordo com ela e em minha conduta geral no assunto, fui influenciado, sob qualquer aspecto, por meu próprio interesse ou honra temporal, ou pelo desejo de parecer mais sábio do que os outros; ou se agi sob qualquer ponto de vista secular e sinistro, e se o que fiz não foi com uma consideração cuidadosa, estrita e terna da vontade de meu Senhor e Mestre, por não ousar ofendê-Lo, estando satisfeito com a sua vontade, depois de uma longa, diligente, imparcial e piedosa investigação. Tenho isso constantemente em vista e com a perspectiva de me envolver com grande solicitude, sem pressa para determinar que a verdade está deste lado da

---

40 Mt 22,11. (N.T.)

questão, sobre a qual agora estou convencido de que tal determinação não seria para meu interesse temporal, mas justamente o oposto disso, trazendo uma longa série de dificuldades extremas e mergulhando-me em um abismo de problemas e tristeza. Assim será mostrado se meu povo cumpriu seu dever com seu pastor em relação a esse assunto; se eles mostraram um temperamento e espírito corretos nessa ocasião; se me fizeram justiça ao ouvir, atender e considerar o que eu tinha a dizer em evidência ao que acreditava e ensinava como parte do conselho de Deus; se fui tratado com a imparcialidade, a sinceridade e a consideração que o justo Juiz estimava; e se, nos muitos passos dados e nas muitas coisas que foram ditas e feitas no curso dessa controvérsia, a retidão, a caridade e o decoro cristão foram mantidos; ou, caso contrário, até que ponto essas coisas foram violadas. Dessa forma, cada passo da conduta de cada um de nós nesse assunto, do primeiro ao último, e o espírito que exercemos em tudo serão examinados e manifestados, e nossa própria consciência falará de modo claro e alto, e cada um de nós ficará convencido, e o mundo saberá; e nunca mais haverá erro, deturpação ou má compreensão do caso pela eternidade.

Essa controvérsia é agora provavelmente levada a uma questão entre nós com relação a este mundo. Ela surgiu duas semanas atrás, porém uma outra decisão aparecerá naquele grande dia, que certamente virá, quando nos encontrarmos diante do grande tribunal. Assim, deixo tudo para aquele momento e não falarei mais sobre isso agora.

Agora me dirigirei particularmente a vários tipos de pessoas.

I. Àquelas que professam a piedade entre nós.

Gostaria agora de chamar a atenção de vocês para uma consideração séria daquele grande dia em que encontrarão aquele que antes era seu pastor, perante o Juiz cujos olhos são como chama de fogo.

Esforcei-me, de acordo com minha melhor habilidade, em buscar a Palavra de Deus, com respeito às notas distintivas da verdadeira piedade, aquelas pelas quais as pessoas podem descobrir melhor seu estado e, com mais certeza e clareza, se julgarem. Essas regras e sinais de vez em quando coloquei em prática com vocês na pregação da palavra com o máximo das minhas habilidades, e da maneira mais clara e perspicaz que pude, a fim de detectar os hipócritas enganados e estabelecer as esperanças e confortos dos sinceros. No entanto, é de se temer que, depois de tudo o que fiz, agora deixo alguns de vocês em um estado enganado e iludido, pois não se deve supor que, entre várias centenas de professores, nenhum deles esteja enganado.

A partir de agora, gostaria de não mais ter a oportunidade de cuidar e de responsabilizar pela alma de vocês, para examiná-la e investigá-la. Mas ainda assim peço que se lembrem e que considerem as regras que muitas vezes lhes estabeleci durante meu ministério, com uma consideração solene do dia futuro em que nos reuniremos diante de nosso Juiz, quando os resultados que ouviram de mim deverão ser avaliados novamente diante de vocês, as regras de julgamento deverão ser testadas, e será mostrado se elas foram boas ou não. Além disso, será mostrado se as ouviram imparcialmente e se elas os testaram; e o próprio Juiz, que é infalível, nos testará. Depois disso, ninguém se enganará com relação à condição de sua alma.

Sempre os lembrei de que, quaisquer que sejam suas pretensões a experiências, descobertas, confortos e alegrias, naquele dia todos serão julgados de acordo com suas obras; e assim descobrirão isso.

Que vocês tenham um ministro com maior conhecimento da Palavra de Deus e melhor familiaridade com os casos de alma e com mais habilidade em aplicar-se às almas, e cujos discursos possam ser mais perspicazes e convincentes. Que aqueles de vocês que se mantiveram em firme engano sob a minha pregação possam ter seus olhos abertos pelos Dele para que não sejam enganados antes desse grande dia.

Que meios e auxílios para instrução e autoexame vocês poderão ter daqui em diante é incerto, porém uma coisa é certa. Como o tempo é curto, sua oportunidade de corrigir erros em um assunto tão importante chegará ao fim em breve. Vivemos em um mundo de grandes mudanças. Uma grande mudança acontecerá. Vocês se afastaram do meu ministério sob o qual permaneceram por tantos anos, mas o momento em breve chegará quando passarão do tempo para a eternidade. Assim passarão todos os meios da graça, sejam eles quais forem.

A maior parte de vocês que professam a piedade – para usar a frase do apóstolo – "em parte me compreendestes"[41]; até agora me reconheceram como seu pai espiritual, para vocês o instrumento de maior bem que existe ou que pode ser obtido por qualquer um dos filhos dos homens. Considerem aquele dia em que iremos nos reunir perante o nosso Juiz, quando será avaliado se receberam de mim o tratamento que é adequado aos filhos espirituais e se me trataram como deveriam ter tratado um pai espiritual. Como a relação de um pai natural traz grandes obrigações para os filhos aos olhos de Deus, muito mais, em muitos aspectos, a relação de um pai espiritual impõe grandes obrigações àqueles de cuja conduta e salvação eterna supostamente Deus os tenha feito seus instrumentos: "Porque, ainda que tivésseis milhares de preceptores em Cristo, não teríeis, contudo, muitos pais; pois eu, pelo evangelho, vos gerei em Cristo Jesus", (1 Co 4,15)

II. Agora que me despeço deste povo, faria um grande esforço para com eles, em uma condição sem Cristo e sem graça; pediria muito seriamente para considerarem aquele dia solene em que eles e eu nos encontraremos diante do Juiz do mundo.

Minha separação de vocês é, em alguns aspectos, de uma maneira peculiar, melancólica, à medida que os coloco nas mais melancólicas circunstâncias, pois os deixo na irritação da amargura e no laço da iniquidade, tendo a ira de Deus habitando em vocês e permanecendo sob condenação à eterna miséria e destruição. Vendo que devo deixá-los, teria sido uma circunstância confortável e feliz da nossa separação se os tivesse

---

41 Cf. 2 Co 1,14. (N.T.)

deixado em Cristo, seguros e abençoados naquele refúgio certo e glorioso descanso dos santos. Mas é o contrário. Deixo vocês longe, estrangeiros e estranhos, sujeitos miseráveis e cativos do pecado e de Satanás e prisioneiros da justiça vingativa; sem Cristo e sem Deus no mundo.

A consciência de cada um presta testemunho de que, enquanto tive oportunidade, não deixei de adverti-los e colocar diante de vocês seu perigo. Estudei para representar a miséria e a necessidade de suas circunstâncias da maneira mais clara possível. Tentei de todas as maneiras possíveis pensar em como despertar a consciência de vocês em torná-los sensíveis à necessidade de aproveitar seu tempo, de serem rápidos em fugir da ira que está por vir e rigorosos no uso de meios para sua fuga e segurança. Esforcei-me diligentemente para descobrir e usar os motivos mais poderosos para convencê-los a cuidar de seu próprio bem-estar e salvação. Não me esforcei apenas para despertá-los, para que se pudessem se mover com medo, mas usei todos os meus esforços para conquistá-los. Procurei palavras aceitáveis, para que, se possível, tivesse êxito com vocês em abandonarem o pecado, voltando-se a Deus e aceitando a Cristo como seu Salvador e Senhor. Gastei muito da minha força nessa tarefa. Mas ainda, no que diz respeito a vocês com quem falo agora, não obtive sucesso. Porém, hoje tenho motivos para reclamar com as seguintes palavras: "O fole bufa, só chumbo resulta do seu fogo; em vão continua o depurador, porque os iníquos não são separados", (Jr 6,29). É de se temer que todos os meus trabalhos com muitos de vocês não tenham servido a nenhum outro propósito senão endurecê-los; e que a palavra que preguei, em vez de ser aroma de vida para vida[42], tenha sido aroma de morte para morte. Embora não tenha nenhuma consideração a dar sobre o futuro de quem abertamente e resolutamente renunciou ao meu ministério, a partir da confiança depositada em mim, lembrem-se de que vocês devem prestar conta de si

---

42 Cf. 2 Co 2,16. (N.T.)

mesmos sobre os cuidados com a própria alma e seu aperfeiçoamento no passado e futuro, por toda a vida. Só Deus sabe o que será das pobres almas que estão perecendo, de que meios poderão desfrutar mais adiante ou que desvantagens e tentações sofrerão. Que Deus, por sua misericórdia, conceda que, por mais que todos os meios passados não tenham sido bem-sucedidos, vocês tenham meios futuros que possam ter um novo efeito e que a Palavra de Deus, como daqui em diante será dispensada a vocês, possa se revelar como o fogo e o martelo que quebram a rocha em pedaços. No entanto, permitam-me agora exortar e suplicar que não se esqueçam totalmente das advertências que receberam enquanto estavam no meu ministério. Quando nos encontrarmos no dia do julgamento, vocês se lembrarão delas; a visão de mim, seu ex-ministro, naquela ocasião, em breve será revivida em sua memória de uma maneira muito impactante. Não deixem que seja a primeira vez que seja revivida.

Estamos agora nos separando uns dos outros neste mundo; trabalhemos para que não nos separemos após o nosso encontro no último dia. Se fui seu fiel pastor – o que será mostrado naquele dia, em caso afirmativo ou não –, serei absolvido e subirei com Cristo. Façam sua parte, para que nesse caso não aconteça de serem forçados eternamente a se separarem de mim e de todos os que foram fiéis em Cristo Jesus. É uma separação triste que agora existe entre mim e vocês, mas aquela seria uma separação mais triste para vocês. Talvez possam suportar essa situação sem serem muito afetados, caso não estejam satisfeitos; mas a separação naquele dia os afetará de maneira mais profunda, sensível e terrível.

III. Gostaria de me dirigir àqueles que estão sob alguns avivamentos.

Bendito seja Deus que existam alguns que, embora eu tenha motivos para temer deixar multidões nesta grande congregação em um estado sem Cristo, não abandonei a alma deles em um estado de total estupidez e descuido. Alguns, os quais tenho motivos para esperar que estejam sob avivamentos, contaram-me sobre as circunstâncias de sua vida, as quais tendem a causar em mim, agora que os deixo, uma preocupação peculiar por vocês. A questão presente dos exercícios mentais, eu desconheço. No entanto, será revelada naquele dia, quando nos encontrarmos diante do tribunal de Cristo. Portanto, neste momento, levem tal dia muito em consideração.

Agora que deixo este rebanho, enfatizaria mais uma vez os conselhos que dei até o momento para atentarem à indiferença em meio a uma preocupação tão grande, em serem cuidadosos e sinceros nessa questão e evitarem retrocessos, em serem firmes e aguentarem até o fim. Clamem poderosamente a Deus para que essas grandes mudanças que passam sobre esta igreja e congregação não provoquem sua derrota. Há uma grande tentação nelas; o diabo, sem dúvida, procurará tirar proveito delas, se possível fazer com que suas convicções e esforços atuais sejam abortados. Vocês precisam dobrar sua diligência, observar e orar para não serem vencidos pela tentação.

Quem quer que daqui em diante se relacione com vocês como seu guia espiritual, meu desejo e oração é que o grande Pastor de ovelhas tenha uma atenção especial por vocês e seja seu guia – pois não há ninguém que ensine como Ele –, e que Ele, que é a fonte infinita de luz, os ilumine: "Para lhes abrires os olhos e os converteres das trevas para a luz e da potestade de Satanás para Deus, a fim de que recebam eles remissão de pecados e herança entre os que são santificados pela fé em mim"[43], de modo que, naquele grande dia, quando os encontrarei novamente diante do seu e do meu Juiz, possamos nos reunir em circunstâncias alegres e gloriosas, para nunca mais nos separarmos.

IV. Dedico-me aos jovens da congregação.

Desde que me estabeleci na obra do ministério neste lugar, sempre tive uma preocupação peculiar pela alma dos jovens e um desejo de que a religião pudesse florescer entre eles; esforcei-me especialmente para isso, porque sabia da oportunidade especial que tinham acima dos

---

[43] At 26,18. (N.T.)

outros, e que normalmente aqueles de quem Deus pretendia ter misericórdia eram levados a temê-lo e amá-lo em sua juventude. Sempre pareceu-me uma coisa particularmente agradável ver jovens trilhando os caminhos da virtude e da piedade cristãs, tendo o coração purificado e abrandado com um princípio de amor divino. Surgiria algo extraordinariamente belo, que seria bom para o encanto e a felicidade da cidade, se os jovens pudessem ser persuadidos, quando se encontrassem, a conversar como cristãos e filhos de Deus, evitando impurezas, leviandades e extravagâncias, mantendo estritamente as regras da virtude e conversando sobre as coisas de Deus, Cristo e do Céu. Isso é o que eu ansiava. Foi extremamente doloroso para mim quando ouvi falar de vícios, vaidades e desordem entre nossos jovens. Pelo que conheço do meu próprio coração, foi a partir daí que originalmente conduzi esta igreja a algumas medidas para suprimir o vício entre nossos jovens, fato que causou tanta ofensa e pelo qual me tornei tão desagradável. Busquei o bem, e não a dor deles. Desejei a mais verdadeira honra e felicidade, e não a reprovação, sabendo que a verdadeira virtude e religião tendiam não apenas à glória e à felicidade dos jovens em outro mundo, mas a sua maior paz e prosperidade, e maior dignidade e honra, neste mundo; acima de tudo, desejei abrandar e tornar agradáveis e encantadores até mesmo os dias da juventude.

Mas, se amei vocês e busquei o seu bem em maior ou menor medida, e Deus em sua providência agora me chama para me separar de vocês, confiando a alma de vocês, àquele que uma vez confiou a mim seu cuidado pastoral, nada resta senão apenas – como agora me despeço de vocês – implorar sinceramente, por amor a si mesmos, sabendo que não tenham nenhum por mim, para não desprezarem e não esquecerem as advertências e os conselhos que tantas vezes lhes dei, relembrando o dia em que devemos nos encontrar novamente diante do grande Juiz dos vivos e mortos, quando será mostrado se as coisas que lhes ensinei eram verdadeiras, se os conselhos que lhes dei eram bons, se realmente procurei o bem de vocês e se desenvolveram meus esforços.

De tempos em tempos, sinceramente os alertei contra brincadeiras – como são chamadas – e algumas outras liberdades geralmente feitas por jovens no território. Por mais que alguns falem em justificação de tais liberdades e costumes e possam rir de alertas contra eles, deixo agora meu testemunho de despedida contra tais coisas; sem dúvida Deus o aprovará e o confirmará no dia em que nos encontraremos diante Dele.

V. Dedico-me às crianças da congregação, os cordeiros deste rebanho, que estão há tanto tempo sob meus cuidados.

Acabo de dizer que tenho uma preocupação peculiar pelos jovens. Ao dizer isso, não pretendia excluí-los. Vocês estão na juventude, na juventude mais tenra e, por causa disso, percebi que, se os jovens tiveram uma oportunidade preciosa para o bem da alma, vocês que são muito jovens tiveram, em muitos aspectos, uma oportunidade peculiarmente preciosa. Do mesmo modo, não os negligenciei. Esforcei-me para cumprir o papel de um pastor fiel, alimentando os cordeiros e as ovelhas. Cristo uma vez confiou o cuidado da alma de vocês a mim como seu ministro; vocês sabem, queridas crianças, como as instruí, alertando-as de tempos em tempos; sabem como sempre as reuni para esse fim. Algumas de vocês, às vezes, pareciam afetadas pelo que lhes dizia, mas receio que isso não tenha tido efeitos salvadores para muitas de vocês. Em vez disso, permanecem quietas em uma condição não convertida, sem nenhum trabalho real de salvação realizado na sua alma de cada um, não as convencendo completamente de seu pecado e miséria, não fazendo com que enxergassem o grande mal do pecado, lamentando-se por ele e o odiando acima de tudo, não lhes dando uma sensação da excelência do Senhor Jesus Cristo, não as levando de todo o coração a se apegarem a Ele como seu Salvador, não afastando o coração de vocês do mundo para amarem a Deus acima de tudo, deleitando-se em santidade mais do que em todas as coisas agradáveis desta terra. Agora, eu as deixo em uma condição miserável, sem interesse em Cristo, sob o terrível desagrado e raiva de Deus, e correndo o risco de descer ao abismo da eterna miséria.

Mas chegou a hora em que devo me despedir de vocês. Devo deixá-las nas mãos de Deus; não posso fazer mais nada a não ser orar por vocês. Só desejo que não se esqueçam, mas sim que pensem frequentemente nos conselhos e nas advertências que lhes dei e nos esforços que usei para que fossem salvas da destruição eterna.

Queridas crianças, eu as deixo em um mundo mau, cheio de armadilhas e tentações. Só Deus sabe o que será de vocês. Isso a escritura nos disse, que há apenas alguns salvos; e temos confirmação abundante disso pelo que vemos. Sabemos que as crianças morrem assim como os outros; multidões morrem antes de crescerem e, das que crescem, relativamente poucas dão bons sinais de uma conversão salvadora perante Deus. Peço a Deus que tenha pena e cuide de cada um e lhes dê os melhores meios para o bem da alma de vocês; que o próprio Deus se comprometa a ser seu Pai celestial e o poderoso Redentor das suas almas imortais.

Não deixem de orar por si mesmas; não prestem atenção a todos aqueles que rejeitam o medo e restringem a oração a Deus. Orem constantemente a Deus em segredo e lembrem-se frequentemente daquele grande dia em que deverão comparecer perante o tribunal de Cristo e encontrar seu ministro lá, o qual muitas vezes as aconselhou e advertiu.

Concluo com algumas palavras de conselho a todos em geral, com alguns detalhes, que são de grande importância para o bem-estar e a prosperidade desta igreja e congregação.

1. Uma coisa que os preocupa muito, pelo fato de serem um povo feliz, é a manutenção da ordem da família.

Tivemos grandes disputas sobre como a igreja deveria ser regulada. De fato, o assunto dessas disputas era de grande importância, mas a devida regulamentação de suas famílias não é de menor importância, mas sim, em alguns aspectos, muito maior. Toda família cristã deveria ser como uma pequena igreja, consagrada a Cristo e totalmente influenciada e governada por suas regras. A educação e a ordem da família são alguns dos principais meios da graça. Se falharem, todos os outros meios serão ineficazes. Se forem devidamente mantidos, todos os meios da graça serão prósperos e bem-sucedidos.

Permitam-me agora, portanto, mais uma vez, antes que finalmente pare de falar com esta congregação, repetir e enfatizar com sinceridade o conselho que muitas vezes dei aos chefes de família enquanto era seu pastor, com grande dor em ensinar, advertir e orientar seus filhos, educando-os na criação e admoestação do Senhor, começando cedo, onde ainda há oportunidade, e mantendo uma diligência constante em trabalhos desse tipo; lembrando que, como não teriam todas as suas instruções e conselhos inoperantes, deveria haver direção e instruções, as quais devem ser mantidas de forma equilibrada e com resolução firme, como um vigilante da religião e dos costumes da família e do apoio de sua boa ordem. Prestem atenção para que não aconteça com vocês o que ocorreu com o idoso Eli, que reprovou seus filhos, mas não os reprimiu[44], para que, dessa maneira, vocês não tragam a mesma maldição para suas famílias como ele trouxe para a dele.

Que os filhos obedeçam aos pais, cedam às instruções e se submetam às suas ordens, pois assim herdarão uma bênção e não uma maldição, uma vez que temos razões para pensar, a partir de muitas coisas na Palavra de Deus, que nada tem uma tendência maior a amaldiçoar as pessoas neste mundo, acima de todas as suas preocupações temporais, do que um comportamento desagradável, não submisso e desordenado das crianças em relação a seus pais.

2. Como vocês buscam a prosperidade futura desta sociedade, é de grande importância que evitem disputas.

Um povo contencioso será um povo miserável. As contendas que surgiram entre vocês, desde que me tornei seu pastor, têm sido um dos maiores fardos com os quais trabalhei no curso de meu ministério; não apenas as contendas que tiveram comigo, mas as que tiveram com

---

[44] Cf. 1Sm 4,11-18. (N.T.)

outras pessoas sobre suas terras e preocupações diversas, pois eu sabia que a disputa, o calor do espírito, a maledicência e coisas de natureza semelhante eram diretamente contrárias ao espírito do cristianismo e que, de uma maneira peculiar, tendem a afastar o Espírito de Deus de um povo e tornar ineficazes todos os meios de graça, além de destruir o conforto e o bem-estar externos de um povo.

Permitam-me, portanto, sinceramente incentivá-los, uma vez que buscarão seu próprio bem futuro daqui em diante, a ficarem atentos a um espírito contencioso. Se desejam bons dias, busquem a paz e se empenhem por alcançá-la, conforme (1 Pe 3,10-11). Deixem que a disputa que tem ocorrido ultimamente sobre os termos da comunhão cristã, que foi a maior de suas contendas, seja a última delas. Agora que estou pregando meu sermão de despedida, direi, como o apóstolo aos coríntios: "Quanto ao mais, irmãos, adeus! Aperfeiçoai-vos, consolai-vos, sede do mesmo parecer, vivei em paz; e o Deus de amor e de paz estará convosco" (2 Co 13,11-12).

Neste momento, aconselharia particularmente aqueles que aderiram a mim no final da controvérsia a zelar pelo espírito deles e evitar toda a amargura para com os outros. Suas tentações são, em alguns aspectos, as maiores, porque o que tem sido feito ultimamente é doloroso para vocês. No entanto, por mais erros que possam pensar que os outros tenham cometido, mantenham, com grande diligência e vigilância, uma mansidão cristã e calma espiritual, e trabalhem, a esse respeito, para se sobressaírem aos outros que são da parte contrária. Essa será a melhor vitória, pois "melhor é... o que domina o seu espírito, do que o que toma uma cidade"[45]. Portanto, nada façam por contenda ou vanglória. Não se deixem levar por espírito vingativo de forma alguma, mas sim observem e orem contra isso e, com todos os meios ao seu alcance, busquem a prosperidade da cidade. Nunca pensem que passam a ser bem-comportados ao se tornarem cristãos, mas sim quando amarem todos os homens de

---

45 Pv 16,32. (N.T.)

forma sincera, sensata e fervorosa, de qualquer partido ou opinião, quer sejam amigáveis, quer cruéis, justos ou prejudiciais a vocês ou seus amigos ou para a causa e o reino de Cristo.

3. Outra coisa que diz respeito amplamente à prosperidade futura desta cidade é que devem prestar atenção às intromissões do erro, particularmente o arminianismo[46] e doutrinas de tendência semelhante.

Muitos de vocês, como bem me lembro, ficaram muito alarmados com a apreensão do perigo da prevalência desses princípios corruptos quase dezesseis anos atrás. No entanto, o perigo era então pequeno em comparação com o que aparece agora. Essas doutrinas hoje em dia são muito mais predominantes do que eram na época; o progresso que fizeram na terra, dentro desses sete anos, parece ter sido muito maior do que em qualquer outro momento no mesmo local; estão prevalecendo e entrando em quase todas as regiões do território, ameaçando causar a ruína total do crédito daquelas doutrinas que são a glória peculiar do evangelho e os interesses da piedade vital. Ultimamente, tenho percebido algumas coisas entre vocês que mostram que estão longe de estar fora de perigo. Pelo contrário, estão notavelmente expostos. Os mais velhos talvez possam imaginar que estão suficientemente reforçados contra a infecção, mas é importante que todos tenham cuidado com a autoconfiança e a segurança carnal, e que se lembrem daqueles alertas necessários de escrita sagrada: "Não te ensoberbeças, mas teme"[47], e "Aquele, pois, que pensa estar em pé veja que não caia"[48]. Contudo, deixando de lado o caso das pessoas idosas, sem dúvida a geração em ascensão está grandemente exposta. Esses princípios estão repletos de natureza corrupta, e é por meio deles que os jovens, pelo menos por não terem a graça estabelecida no coração, facilmente se afastam.

---

46 Sistema teológico criado pelo holandês Jacobus Arminius (1560-1609) que diverge em vários pontos do calvinismo de Edwards, como, por exemplo, a questão do livre-arbítrio, a eleição e a salvação. (N.T.)
47 Rm 11,20. (N.T.)
48 1 Co 10,12. (N.T.)

Se esses princípios prevalecerem nesta cidade, como tem acontecido ultimamente em outra grande cidade que poderia citar, anteriormente muito conhecida por sua religião e por um longo tempo, isso ameaçará causar a ruína espiritual e eterna deste povo nas gerações presentes e futuras. Assim, vocês precisam do maior e mais diligente cuidado e vigilância em relação a esse assunto.

4. Outra coisa que aconselharia, a fim de poderem ser um povo próspero, é que se dediquem com afinco à oração.

Deus é a fonte de todas as bênçãos e prosperidade, e Ele será procurado por sua bênção. Por isso, aconselho-os a não só serem constantes em oração secreta e familiar e na adoração pública de Deus em sua casa, mas também muitas vezes a se reunirem em sociedades de oração particulares. Aconselharia a todos, do mesmo modo que aqueles abatidos pela ruína de José[49], e claramente afetados pelas calamidades desta cidade, no que diz respeito a qualquer opinião sobre o tema de nossa controvérsia tardia, que se reúnam frequentemente para orar e suplicar a Deus por misericórdia para si, misericórdia para esta cidade, misericórdia para Sião e o povo de Deus em geral em todo o mundo.

5. O último conselho que daria – o que sem dúvida diz muito a respeito de sua prosperidade – é que devem tomar muito cuidado com a determinação de um ministro, para ver por quem ou por qual tipo de pessoa vocês se decidiram, particularmente nestes dois aspectos:

(1) Que seja um homem de princípios profundamente sólidos no sistema de doutrina que defende.

Isso é o que vocês mais necessitarão, especialmente em uma época de corrupção como esta. Para obterem isso, é bom que tenham cuidado e prudência extraordinários. Conheço o perigo. Conheço a maneira de muitos jovens cavalheiros de princípios corruptos, seus modos de se esconderem, os disfarces claros e ilusórios que costumam usar, pelos quais enganam os outros para manterem o próprio crédito e entrarem

---

49 Cf. Am 6,6. (N.T.)

na confiança e crescimento dessas pessoas a fim de estabelecerem os próprios interesses, até que vejam uma oportunidade conveniente de começarem, abertamente, a abordar e propagar seus princípios corruptos.

(2) Trabalhem para obter um homem que tenha caráter estabelecido, como uma pessoa de religião séria e de piedade fervorosa.

É de grande importância que aqueles que se estabeleçam nesta obra sejam homens de verdadeira piedade, em todos os momentos e em todos os lugares, mas mais especialmente em alguns momentos e em algumas cidades e igrejas. Na época atual, que é o momento em que a religião está em perigo, por conta de tantas corrupções na doutrina e na prática, é de uma maneira peculiar o dia em que esses ministros são necessários. Nada além da piedade sincera de coração deve ser considerada, em um momento como este, uma segurança para um jovem que acabou de chegar ao mundo, por conta da contaminação prevalecente, ou para engajá-lo completamente em ações adequadas e bem-sucedidas, procurando resistir e se opondo à torrente de erro e preconceito contra as doutrinas evangélicas, elevadas e misteriosas da religião de Jesus Cristo e seus efeitos genuínos na verdadeira religião experimental. E esse é um lugar que precisa especialmente de tal ministro, por razões óbvias para todos.

Se, por acaso, se decidirem por um ministro que nada conhece verdadeiramente de Cristo e do caminho da salvação por meio Dele, nada experimentalmente da natureza da religião vital, infelizmente ficarão expostos como ovelha sem pastor! Eis aqui a necessidade de alguém neste lugar que seja eminentemente apto a ocupar a lacuna e formar a cerca viva, e que será como os carros de Israel e seus cavaleiros. Vocês precisam de alguém que se posicione como um defensor da causa da verdade e do poder da piedade.

Depois de mencionar brevemente esses importantes conselhos, nada resta a não ser me despedir de vocês agora e lhes dizer *adeus*, desejando e orando por sua melhor prosperidade. Recomendaria agora a alma imortal de cada um a Ele, que anteriormente as confiou a mim, esperando o dia em que devo encontrá-los novamente diante Dele, que é o Juiz de vivos e de mortos[50]. Desejo nunca me esquecer deste povo, que há tanto tempo está sob minha responsabilidade especial, e nunca parar de orar fervorosamente por sua prosperidade. Que Deus os abençoe com um pastor fiel, que conheça bem a mente de cada um e as vontades, advertindo minuciosamente os pecadores, buscando aqueles que professam com sabedoria e habilidade, e conduzindo-os no caminho da bênção eterna. Que vocês realmente tenham uma luz ardente e brilhante instalada neste castiçal e que, não apenas por um período, mas por toda a vida, uma vida longa, estejam dispostos a se regozijar em sua luz.

Deixem-me ser lembrado nas orações de todas as pessoas de Deus que têm um espírito calmo e que são pacíficos e fiéis em Israel, não importando a opinião que possam ter com relação aos termos da comunhão da igreja.

Que todos nos lembremos e que nunca nos esqueçamos de nossa futura reunião solene naquele grande dia do Senhor, o dia da decisão infalível e da sentença eterna e inalterável. Amém.

---

50 Referência a At 10,42, 1Pe 4,5 e 2Tm 4,1. (N.T.)

NOTAS

DEUS GLORIFICADO NA DEPENDÊNCIA HUMANA

(Página 34) **Deus Glorificado.** A página de título da edição original deste sermão, o primeiro trabalho publicado pelo autor, tem a seguinte redação: "Deus Glorificado na Obra da Redenção pela Grandeza da Dependência Humana em relação a Ele, em sua Totalidade. Pregado na Conferência Publick em Boston, 8 de julho de 1731. Publicado por Desejo de vários Ministros e Outros, em Boston, que o ouviram. Jonathan Edwards A. M. Pastor da Igreja de Cristo em Northampton. 'Israel poderia se gloriar contra mim, dizendo: A minha própria mão me livrou', (Juízes 7,2). Boston: Impresso por S. Kneeland e T. Green, por D. Henchman, na Corner Shop, no lado sul da Townhouse. 1731".

O Sermão Público ou Sermão de Quinta-Feira, datado da ordenação do rev. John Cotton, em 1633, continuou com interrupções ocasionais perto de 1775[51], mais tarde foi retomado e publicado, e afirma-se, ainda hoje ou até recentemente (veja o Prefácio do dr. Samuel A. Eliot aos *Pioneers of Religious Liberty in America*, Boston, 1903), que era célebre entre as instituições sociais e religiosas da Boston colonial. Ao mesmo tempo, o Tribunal Geral o adiava regularmente; o fato de que o governador deveria manter o Natal e negligenciá-lo foi considerado pelo velho juiz Sewall[52] uma questão de grave reprovação. Os pregadores foram selecionados entre os mais eminentes teólogos, não apenas em Boston, mas em toda a colônia. Há registro de que, por exemplo, Solomon Stoddard, avô e predecessor de Edwards no pastorado de Northampton, assistia anualmente à Abertura do Ano Letivo de Harvard e no dia seguinte pregava o Sermão Público. Foi uma grande honra, portanto, para Edwards, um jovem de 27 anos, ser convidado a pregar nessa instituição.

Ele próprio parece ter apreciado plenamente a honra e a oportunidade. O manuscrito original mostra a preparação mais cuidadosa. Na declaração da Doutrina, por exemplo, existem várias rasuras e correções antes que a fórmula correta fosse encontrada. O sermão impresso apresenta ainda mais elaboração. Edwards escolheu um tema que era central e dominante em seu pensamento: a soberania de Deus. Sua mente havia se dedicado a esse assunto desde a infância. Ele havia meditado especialmente no que se refere à doutrina dos decretos, que achou inicialmente revoltante, mas enfim a considerou "extremamente agradável, brilhante e doce". Desde Agostinho, ninguém enfatizou como ele a soberania absoluta de Deus e a correspondente dependência humana. Essa concepção da vontade arbitrária de Deus, arbitrária, não como irracional ou não relacionada à justiça e à benevolência divinas, mas como sendo "sem coibição, constrangimento ou obrigação"; não era apenas a espinha dorsal de seu sistema, mas o coração, o princípio

---

51 Cerco de Boston (1775-1776), início da guerra pela independência dos Estados Unidos. (N.T.)
52 Samuel Sewall (1652-1730), juiz e comerciante, foi membro do Conselho (1684-1725), administrador da imprensa colonial (1681-1684) e chefe de justiça da Corte Superior (1718-1728), bem como superintendente da Universidade de Harvard e comissário da Sociedade para a Propagação do Evangelho na Nova Inglaterra. (N.T.)

que anima e pulsa por toda a parte. É a base última tanto de sua filosofia quanto de sua fé religiosa. Nesta sua primeira publicação, como nos grandes tratados teológicos que foram suas últimas publicações, ele é em toda parte o defensor profético dessa ideia suprema em oposição a todos os esquemas de divindade geralmente denominados arminianos, os quais implicavam, em sua opinião, um grau de independência no homem inconsistente com a soberania absoluta, considerada por ele como a glória distintiva de Deus.

O sermão causou uma impressão profunda, como é evidente tanto na demanda imediata por sua publicação, indicada na página de título, quanto no prefácio de louvor à edição original assinado por dois dos principais ministros de Boston, o rev. Thomas Prince, da Old South Church, e o rev. William Cooper, da Brattle Street Church. "Foi com não pouca dificuldade", escrevem esses senhores, "que a juventude e a modéstia do autor prevaleceram, para que ele aparecesse como um pregador em nosso sermão público e, posteriormente, que nos desse uma cópia de seu discurso, pelo desejo de diversos ministros e de outros que o ouviram. Mas, como rapidamente descobrimos que ele era um trabalhador que não precisava ter vergonha diante de seus irmãos, nossa satisfação foi maior ao vê-lo abordando um assunto tão nobre e tratando-o com tanta força e clareza, como os sensatos perceberão na seguinte compostura: um assunto que assegura a Deus seu grande desígnio, na obra da redenção do homem caído pelo Senhor Jesus Cristo, que está evidentemente tão exposto, de modo que a glória do todo retorne a Ele, o abençoado ordenador, comprador e aplicador; um assunto que entra profundamente na religião prática. Sem essa crença, isso poderá morrer em breve no coração e na vida dos homens. Não podemos expressar, assim, outra coisa senão nossa alegria e gratidão, porque o grande Cabeça da Igreja ainda se agrada de erguer, dentre os filhos de seu povo, para o suprimento de suas igrejas, aqueles que afirmam e preservam esses princípios evangélicos; e porque nossas igrejas, apesar de todas as suas degenerescências, ainda têm um alto apreço por princípios justos e por aqueles que os possuem e os ensinam publicamente. Não podemos deixar de desejar e orar que a faculdade na colônia vizinha, assim como a nossa, seja uma mãe fértil de muitos filhos como o autor. Por isso, alegremente nos regozijamos, no favor especial da Providência, em dar um presente tão rico à feliz igreja de Northampton, que por tantos anos floresceu sob a influência de tais doutrinas piedosas, ensinadas no excelente ministério de seu falecido pastor venerável, cujos dom e espírito esperamos que viva por muito tempo e brilhe em seu neto, a fim de que possam expandir em todos os amáveis frutos da humildade e gratidão evangélicas, para a glória de Deus".

(Página 34) **Foi por pura graça... para nossa alma**. Esta passagem pode servir para ilustrar a maneira como Edwards expandiu seus sermões para publicação (veja Introdução, p. 28). O manuscrito tem a seguinte redação: "A Graça em dar este Presente foi grande em proporção à nossa indignidade; foi-nos concedido que, em vez de merecer isso de Deus, que é de tal Valor Infinito, merecíamos o Mal Infinito Dele". Depois segue um espaço, acima e abaixo do qual, entre as linhas, estão as palavras "proporcionalmente à bem-aventurança que temos em benefício ao que depositamos Nele". Continuando: "o doador, ao dar esse presente, é grande de acordo com a maneira da doação. Ele o deu a nós, Encarnado, ele o deu a nós, imolado, para que fosse um banquete para nossa alma".

A REALIDADE DA LUZ ESPIRITUAL

(Página 49) **Luz Divina e Sobrenatural**. A página com o título original, o segundo sermão publicado pelo autor, tem a seguinte redação: "Uma Luz Divina e Sobrenatural, Transmitida Diretamente à Alma pelo Espírito de Deus, Demonstrada Ser uma Doutrina Bíblica e Racional; em um Sermão Pregado em Northampton, e Publicado por

Desejo de Alguns dos Ouvintes. Por Jonathan Edwards, A. M. Pastor da Igreja de lá. 'Donde, pois, vem a sabedoria, e onde está o lugar do entendimento?', (Jó 28,20). 'O Senhor dá a sabedoria', (Pv 2,6), 'Vós, cegos, olhai, para que possais ver', (Is 42,18), 'Até que o dia clareie e a estrela da alva nasça em vosso coração', (2Pe 1,19). Boston: Impresso por S. Kneeland e T. Green, MDCCXXXIV". O sermão tem um prefácio no qual Edwards renuncia modestamente a qualquer inclinação ou vaidade em publicá-lo e pede aos leitores que o examinem sem preconceitos sobre essa matéria ou pelo caráter antiquado do assunto. Isso para o público em geral. O que ele diz ao seu próprio povo mostra quão afetuosas eram as relações com o jovem ministro naquele momento e quão grande era o seu respeito por eles; um interesse tocante em vista da rejeição apaixonada por ele no fim. "Tenho motivos para bendizer a Deus", ele escreve, "por existir uma união mais feliz entre nós do que preconceitos contra qualquer coisa minha, pelo fato de ser minha". Ele os felicita por terem sido instruídos em doutrinas como as desse sermão, desde o início. "E eu me regozijo com isso", acrescenta, "que a Providência, nestes dias de corrupção e confusão, tenha lançado o meu destino onde tais doutrinas, que considero tanto a vida e a glória do Evangelho, não sejam apenas minhas, mas onde existem tantas, em que a verdade delas é tão aparentemente manifesta na experiência, que qualquer pessoa que tenha tido a oportunidade de conhecê-las, da mesma maneira que eu, deve ser muito irracional para ter dúvidas sobre elas".

Este é considerado justamente "um dos mais belos e mais eloquentes" sermões de Edwards (A.V. G. Allen, *Jonathan Edwards*, p. 67). Foi pregado numa época em que os sinais de um interesse crescente pela religião entre o povo de Northampton se multiplicavam, sendo um prelúdio do grande avivamento dos anos seguintes e do futuro. O manuscrito original traz a data de agosto de 1733. A morte do sr. Stoddard em 1729 havia removido as restrições de uma autoridade há muito estabelecida e inquestionável, e os resultados disso, como Edwards os descreve, foram deploráveis. "Parecia", ele diz, "um tempo de extraordinária apatia na religião: a licenciosidade por alguns anos prevaleceu entre os jovens da cidade; muitos deles viciados em caminhadas noturnas, frequentando tavernas e entregando-se a práticas obscenas, em que alguns corrompiam muitíssimo os outros por seu exemplo". "Mas em dois ou três anos... começou a haver uma alteração perceptível desses males" e, "no fim de 1733, uma maleabilidade muito incomum surgiu e a aceitação de conselhos" entre os jovens (*Narrative of Surprising Conversions*). A melhoria nas condições causaram uma reação no pregador e, como consequência, temos o sermão da Luz Espiritual.

O princípio enunciado neste sermão é o princípio cardinal e controlador de todo o avivamento. Para Edwards, o avivamento é apenas sua demonstração e a comprovação experimentada, da sua verdade. Nada em seu relato sobre o movimento é mais impressionante do que a maneira como ele o estuda, traçando minuciosamente os detalhes do processo, interrogando-se sobre sua variedade, em que o Espírito Santo torna real e eficaz a mensagem divina (veja Allen, op. cit., p. 143ss.). Não havia nada essencialmente novo no próprio princípio, segundo o qual Deus influencia diretamente a alma, e a alma é capaz de uma intuição imediata das coisas divinas. Esse foi o ensinamento comum de todos, e especialmente de todos os místicos cristãos. De fato, pode-se duvidar de que a religião como forma de experiência pessoal não envolva universalmente a consciência de algum relacionamento transcendente (veja W. James, *Varieties of Religious Experience*[53], Boston, 1902, *passim*). O que havia de novo na formulação da doutrina de Edwards era sua maneira de defini-la, o modo que a relaciona com as outras partes de seu sistema, a insistência no caráter sobrenatural dessa iluminação divina, a nítida distinção entre graça comum e especial. Sua doutrina da luz sobrenatural aparece, de fato, como consequência necessária de sua concepção da relação entre o homem e Deus na obra de redenção expressa em seu sermão sobre a Dependência Humana. É em parte, pelo menos, desse ponto de vista, que ela lhe parece não apenas bíblica, mas racional. Era uma doutrina intimamente ligada ao

---

53 Obra publicada em português com o título *As Variedades da Experiência Religiosa: um Estudo sobre a Natureza Humana*. (N.T.)

seu ponto de vista sobre a conversão. Foi por esse motivo que, em razão da ênfase dada a um princípio místico e não moral ou legal na religião, que Edwards pôde falar da doutrina como "fora de moda". A tendência da época era encontrar mais poder na constituição natural do homem do que Edwards estava disposto a permitir. Historicamente, porém, é justamente com essa ênfase na experiência interior da luz e da vida de Deus no coração que ele faz a transição do calvinismo mais antigo para a teologia mais liberal de nossos dias.

O manuscrito deste sermão está mais do que o habitual cheio de rasuras e inserções, tornando quase impossível sua leitura, o que sugere um pouco do trabalho e dos cuidados devotados em sua composição. Está escrito em 26 páginas do tamanho do fac-símile[54] com a última página contendo apenas uma linha e meia. No entanto, o sermão impresso encontra-se mais completamente elaborado.

A RESOLUÇÃO DE RUTE

(Página 73) **A Resolução de Rute.** Esse sermão foi um dos cinco "Discursos sobre Vários Assuntos Importantes, Praticamente Relacionados à Grande Questão da Salvação Eterna da Alma: a Saber I. Justificação Somente pela Fé. II. O Esforço para Entrar no Reino de Deus. III. A Resolução de Rute. IV. A Justiça de Deus na Condenação dos Pecadores. V. A Excelência de Jesus Cristo. Feito em Northampton, em Grande Parte na Época do Maravilhoso Derramamento do Espírito de Deus na Região. Por Jonathan Edwards A. M. Pastor da Igreja de Cristo em Northampton. Dt 4,8 [9]: 'Tão somente guarda-te a ti mesmo e guarda bem a tua alma, que te não esqueças daquelas coisas que os teus olhos têm visto, e se não apartem do teu coração todos os dias da tua vida'. Boston: Impresso e vendido por S. Kneeland e T. Green, na

---

54 Na edição em inglês utilizada como fonte desta edição em português, há um fac-símile de uma das páginas do manuscrito do sermão. (N.R.)

Queen Street, em frente à Prisão. MDCCXXXVIII". Os quatro primeiros desses discursos foram pregados durante o avivamento de 1734-1735 e foram escolhidos por desejo do povo como aqueles dos quais obtiveram benefícios especiais; o quinto foi escolhido pelo próprio Edwards a pedido de algumas pessoas de uma cidade vizinha que o ouviram e porque pensava que um sermão sobre a excelência de Cristo poderia acompanhar apropriadamente os outros, que eram de caráter despertador. Eles foram prefixados à reimpressão americana de *Narrative of Surprising Conversions*, publicada pela primeira vez na Inglaterra. O custo de sua publicação foi financiado pela congregação, uma clara evidência de seu profundo interesse, pois estavam na época fortemente sobrecarregados com as despesas da nova igreja. Veja Dwight, *Life of Edwards*, p. 140 e a seguinte; cf. n. e as seguintes, p. 162.

O sermão sobre a Resolução de Rute foi selecionado como o mais curto dos discursos acima para ilustrar um tipo de sermão de avivamento em contraste marcante com Pecadores nas Mãos de um Deus Irado. Todos eles, no entanto, prestam testemunho do próprio Edwards sobre sua pregação: "Não apenas me esforcei para despertá-los, para que se movessem com medo, mas usei todos os meus esforços para conquistá-los" (Sermão de Despedida). O manuscrito do sermão é datado de abril de 1735 e parece ter sido impresso quase como estava escrito.

AS MUITAS MORADAS

(Página 92). **As Muitas Moradas.** O manuscrito deste sermão até agora não publicado é escrito como "O Sabá após a Sede da Nova Igreja, 25 de dezembro de 1737". A ocasião foi de especial interesse para o povo de Northampton. A antiga igreja, erguida em 1661, tornara-se pequena demais para a congregação e perigosamente dilapidada; de fato, em um domingo de março do ano em que a nova construção foi concluída, enquanto Edwards pregava, logo depois de ter "estabelecido suas doutrinas" a partir do texto "Vede, ó desprezadores, maravilhai--vos e desvanecei"[55], a galeria da frente, "com um barulho como um trovão", caiu repentina e drasticamente. Felizmente, por uma providência especial, segundo Edwards, nenhuma das cento e cinquenta pessoas envolvidas na catástrofe pereceu, ou sequer teve um osso quebrado, e apenas dez ficaram feridas, "fazendo com que se importasse com o ocorrido". Mas o acontecimento mostrou que a construção de uma nova igreja não havia sido empreendida cedo demais. A questão dessa nova construção fora apresentada na reunião da cidade na primavera de 1733, mas foi decidida pela primeira vez em novembro de 1735, determinada em parte, sem dúvida, pelo grande avivamento daquele ano, quando sessenta, oitenta e depois cem pessoas foram recebidas na igreja em sucessivas comunhões. Foram necessários dois anos para a estrutura ser completada. A propósito, sessenta e nove galões de rum, além de inúmeros barris de "cidra" e cerveja, foram consumidos pelos trabalhadores durante a montagem da estrutura. Sessenta homens se comprometeram com cinco horas diárias por esta parte do trabalho, "mantendo-se", como disse o periódico de Deacon Hunt, "sem bebidas".

Quando a construção, como várias outras do período, com uma estrutura confortável e oblonga, com uma torre, campanário e catavento em uma das extremidades, tinha quase terminado, a importante questão de acomodar a congregação foi retomada. Esse também foi um assunto da cidade. Já havia sido decidido durante a reunião anual da cidade na primavera pela colocação de bancos grandes ao longo das paredes e "assentos" ou bancos menores apenas nos dois lados da "viela" – corredor amplo. O plano real das sessões, ainda vigente, mostra os bancos grandes também ao redor dos menores no salão, estes separados dos maiores ao longo das paredes pelos corredores estreitos, e a presença de cinco bancos grandes na galeria. Os bancos grandes eram da variedade alta e quadrada, com assentos nas dobradiças, e eram evidentemente considerados lugares de dignidade superior. No fim do ano, a cidade realizou uma série de

---

55   At 13,41. (N.T.)

reuniões com especial atenção aos assentos. A questão de importância primária dizia respeito à distribuição das sessões de acordo com a classificação social. Na reunião de novembro, um comitê de cinco dos cidadãos mais proeminentes foi instruído a redigir "seu plano ou apresentação para assentos da igreja e apresentá-lo à cidade" para aprovação. No mês seguinte, a comissão foi instruída pelos seguintes votos:

"1. Votaram que, nas sessões da nova igreja, o comitê respeita principalmente o patrimônio dos homens."

"2. Considerar a idade dos homens."

"3. Votaram que alguma consideração e respeito [fossem prestados] à utilidade dos homens, mas em menor grau." Para que nenhum erro fosse cometido, um comitê de seis pessoas foi designado para "fazer estimativas sobre os bancos e assentos", ou seja, "dignificar" ou avaliar seu valor social.

Outra questão relacionada dizia respeito à disposição dos sexos. Na reunião de novembro, foi votado que os homens deveriam estar no sul, as mulheres no norte; os homens à direita do púlpito, as mulheres à esquerda. Na primeira reunião de dezembro, a cidade recusou-se claramente a permitir que homens e suas esposas se sentassem juntos. Mas isso foi claramente contrário ao sentimento de alguns dos membros mais influentes da comunidade, pois, na reunião adiada para quatro dias depois, quando "foi feita A Pergunta sobre se o Comitê proibiria a disposição de homens e suas esposas Sentados lado a lado, Especialmente Aqueles que Tendem a se a Sentar juntos: a Resposta foi Negativa". Sob essa autorização indireta e qualificada, em sua maioria, as pessoas casadas sentavam-se juntas nos bancos grandes, mas separadas nos bancos menores, ao passo que em alguns casos o marido era designado para um banco grande e a esposa para um pequeno.

Os eventos e as condições aqui descritos são refletidos no sermão de Edwards, especialmente no que ele diz sobre a extensão das "acomodações" no Céu e em suas observações sobre os "assentos de várias dignidades e diferentes graus e circunstâncias de honra e felicidade" lá, em comparação ao que encontramos nas casas de culto na terra.

Ao indicar o tamanho da congregação de Edwards em Northampton, pode ser interessante observar que o plano de assentos acima mencionado contém os nomes de quase seiscentas pessoas. E ele tinha o público sob controle. O púlpito, com uma enorme caixa de ressonância sobre ele, ficava no meio de um dos lados mais compridos da construção, não no final, como é de costume agora. Para mais detalhes, consulte J. R. Trumbull, *History of Northampton*, vol. II, cap. VI.

Este sermão está escrito de forma mais completa do que a maioria dos de Edwards não publicados. Ao preparar a cópia para o presente volume, o editor teve em mente a analogia geral dos outros sermões aqui publicados. As abreviaturas X (Cristo), G. (Deus), F. H. (Casa do Pai), etc., foram adequadamente interpretadas, e períodos ou frases omitidos, indicados no manuscrito por traços ou espaços, foram fornecidos a partir do contexto. Todos esses acréscimos, no entanto, foram inseridos entre colchetes.

PECADORES NAS MÃOS DE UM DEUS IRADO

(Página 106) **Pecadores nas Mãos de um Deus Irado.** A página de título completa deste sermão, o mais famoso de Edwards, está escrita na edição original da seguinte maneira: "Pecadores nas Mãos de um Deus Irado. Um Sermão Pregado em Enfield, 8 de julho de 1741. Em uma Época de Grandes Avivamentos; e Causando Impressões Notáveis sobre Muitos dos Ouvintes. Por Jonathan·Edwards A. M. Pastor da Igreja de Cristo em Northampton: 'Ainda que desçam ao mais profundo abismo, a minha mão os tirará de lá; se subirem ao céu, de lá os farei descer. Se se esconderem no cimo do Carmelo, de lá buscá-los-ei e de lá os tirarei; e, se dos meus olhos se ocultarem no fundo do mar, de lá darei ordem à serpente, e ela os morderá', (Am 9,2-3). Boston: Impresso e vendido por S. Kneeland e T. Green na Queen Street, em frente à Prisão, 1741."

Benjamin Trumbull em *History of Connecticut*, New Haven, 1818, vol. II, p. 145, registra as circunstâncias sob as quais esse sermão foi proferido, conforme lhe foi dito pelo sr. Wheelock, um ministro de Connecticut – Enfield, Connecticut, naquela época pertencia ao Condado de Hampshire, Massachusetts –, que o ouviu. "Enquanto as pessoas nas cidades vizinhas", escreve Trumbull, "estavam em grande angústia por suas almas, os habitantes daquela cidade se sentiam muito seguros, soltos e vaidosos. Um sermão havia sido marcado em Enfield, e as pessoas vizinhas, na noite anterior, haviam sido tão afetadas pela falta de consideração dos habitantes, e estavam com tanto medo que Deus, em seu julgamento justo, os ignorasse enquanto as chuvas divinas caíssem ao redor deles, que se prostraram diante dele por um tempo considerável, suplicando misericórdia por suas almas. Chegada a hora do sermão, vários ministros vizinhos compareceram, e alguns de lugares distantes. Quando entraram na igreja, a aparência da assembleia era imponente e vaidosa. As pessoas dificilmente se comportavam com decência comum. O reverendo sr. Edwards, de Northampton, pregou e, antes do término do sermão, a assembleia parecia profundamente impressionada e se curvou, com uma terrível convicção de seus pecados e perigos. Havia tal atmosfera de suspiros, angústia e choro que o pregador foi obrigado a pedir às pessoas para fazerem silêncio, a fim de que pudesse ser ouvido. Esse foi o início da mesma inquietação profunda e predominante naquele local, pela qual a colônia como um todo foi afetada". As circunstâncias, portanto, sob as quais esse sermão foi pregado eram excepcionais; o entusiasmo do Grande Despertamento estava no auge; a congregação a quem o sermão foi dirigido era famosa por sua apatia. Sem dúvida, Edwards sentiu que era necessária uma apresentação excepcionalmente forte do perigo que corriam para provocá-los. E esse sermão é provavelmente o maior de seu tipo já realizado por um ministro cristão.

Esse tipo, no entanto, não era de modo algum excepcional na pregação de Edwards, particularmente nesse período. Acreditando, como fez, que as decisões dos homens nesta vida eram repletas de questões mais importantes para toda a eternidade, ele tinha o dever de apresentar essas questões diante deles da maneira mais vívida possível[56]. A Justiça de Deus na Condenação dos Pecadores; A Futura Punição dos Ímpios como Inevitável e Intolerável; A Eternidade das Tormentas do Inferno; Quando os Iníquos Tiverem Enchido a Medida de Seus Pecados, a Ira cairá sobre Eles até o Fim; O Fim dos Iníquos Contemplado pelos Justos; Os Tormentos dos Iníquos no Inferno, Nenhuma Ocasião de Tristeza para os Santos no Céu; Homens Iníquos são Úteis Apenas em Sua Destruição, esses estão entre os títulos de seus sermões. Além disso, há razões para acreditar que esse mesmo sermão, ou algo semelhante, foi usado em outras ocasiões além daquela a que é explicitamente atribuída. Existe uma tradição[57] que afirma que Edwards pregou uma vez quando Whitfield[58] havia decepcionado os ouvintes por não ter aparecido, causando grande repercussão. O manuscrito é datado de *junho* de 1741, o que sugere que ele pode ter sido pregado em Northampton, ou em outro lugar, no mês anterior ao evento que causou impressões tão notáveis nos ouvintes de Enfield. Mas ainda mais significativa é a existência de um segundo sermão sem data do mesmo texto. Nesse, que sem dúvida era de origem anterior, o pensamento é colocado de maneira um pouco diferente: é menos lúgubre, menos elaborado, menos fantástico, mas contém muitas das ideias, por exemplo, sobre a incerteza da vida, a brusquidão com que a destruição pode apanhar o pecador, etc., encontradas no sermão de

---

56 "Se estiver em perigo de ir para o inferno, ficarei feliz em saber o máximo que puder sobre seu horror. Se estiver muito propenso a negligenciar o devido cuidado para evitá-lo, aquele que me faria a melhor bondade seria quem me mostrasse a verdade do caso, expondo minha miséria e perigo da maneira mais viva possível." Sermão sobre as Marcas Distintivas de uma Obra do Espírito de Deus *(Sermon on The Distinguishing Marks of the Spirit of God).* (N.O.)
57 Conforme o professor A. V. G. Allen informou ao editor em uma carta de 23 de janeiro de 1904. (N.O.)
58 George Whitfield (1714-1770), pastor britânico conhecido por suas grandes pregações ao ar livre. (N.T.)

Enfield. Edwards ficou evidentemente fascinado pelo tema; ele o desenvolve com o toque certo de um grande artista, com a força intelectual do dialético habilidoso. Além disso, proclama sua mensagem com a intensidade de convicção de um profeta do Antigo Testamento. Não é de se admirar que seus ouvintes tenham se emocionado. O efeito certamente teria sido menos profundo se existisse alguma mensagem ou vingança pessoal na pregação. Mas não há nada disso; não é nesse sentido que o sermão pode ser chamado de "imprecatório". Pelo contrário, no que diz respeito à atitude pessoal de Edwards, não é difícil detectar nela o *pathos* e a piedade dos homens mais gentis que choram sobre a estupidez sem sentido daqueles que, cegos à destruição iminente, recusam repetidos convites de segurança (Mt 23,37). De resto, ele é bastante impessoal, desapegado; a verdade que ele prega é certa, terrível, mas objetiva. Para o leitor moderno, é provável que o sermão produza uma impressão muito dolorosa, a menos que ele, por sua vez, o leia da mesma maneira impessoal e desapegada. Não é apenas o realismo da apresentação, mas é a aspereza da doutrina que ofende. Edwards, por exemplo, frequentemente fala da razão pela qual os pecadores não são imediatamente lançados no inferno, porém a razão apontada não é a misericórdia, bondade ou amor de Deus, mas Seu mero poder e vontade soberanos. Esse é um aspecto da verdade do universo espiritual, como Edwards o vê. Ele não é um sentimentalista; proclama a verdade como a entende. No que diz respeito ao próprio Edwards, não há nada em todo o sermão, ou em qualquer um de seus sermões "imprecatórios", assim chamados, tão revoltante quanto a atitude de Dante em relação aos pecadores no inferno. Tomemos, por exemplo, o caso de Filippo Argenti[59] no Lago da Lama (*Inferno*, Canto VIII.)[60]:

---

59 Político florentino que possuía grande rivalidade com Dante Alighieri, autor de *A Divina Comédia*. (N.T.)
60 *A Divina Comédia*, de Dante Alighieri. Tradução de José Pedro Xavier Pinheiro.

"Mestre, grato me fora sobremodo
Vê-lo no ceno mergulhar profundo,
Antes de eu ter daqui saído em todo.

– Antes que a margem – respondeu jocundo
– Avistes, gozarás dessa alegria,
Verás penar o espírito iracundo.
E logo ao pecador, como à porfia,
Tanta aflição causou a imunda gente,
Que ainda louvo a Deus, que o permitia.

Gritavam todos: – A Filippo Argenti!
– E a florentina sombra, se volvendo
Contra si, se mordia insanamente."

(Página 108) **O Deus que te prende... te joga no inferno.** Esse é provavelmente o parágrafo mais lembrado desse sermão tão bem guardado na memória. A comparação com o manuscrito original mostra algumas variantes interessantes do texto impresso e, ao mesmo tempo, evidencia o caráter consciente com que as frases foram elaboradas com referência ao efeito calculado. Por ambas as razões, a passagem é aqui reproduzida conforme foi escrita.

"Vocês estão no poço do inferno sobre a mão de Deus, da mesma maneira que alguém segura uma aranha ou algum inseto repugnante sobre o fogo não é nada, a não ser a mão de Deus que os impede de serem soltos e cair." (Aqui seguem quatro linhas indecifráveis, que aparentemente, no entanto, não pertencem a essa conexão. A passagem continua na próxima página do manuscrito) "E este Deus que assim os segura em sua mão está irado com vocês e terrivelmente irritado. Sua ira queima como fogo. Vocês são repugnantes e odiosos aos olhos dele e dignos de serem queimados; Ele os considera dignos de nada senão de serem lançados ao fogo. Vocês são dez mil vezes mais repugnantes aos olhos Dele do que o inseto mais nocivo aos olhos de nós, homens. Vocês O ofenderam mil vezes mais do que um rebelde obstinado ofendeu seu príncipe. Contudo, estão em suas mãos e não há nada além de sua mera vontade que o impeça de fazer com que caiam no inferno a qualquer instante não há outra razão a ser dada por que não foram para o inferno ontem à noite, por que não acordaram no inferno depois que fecharam os olhos para dormir e não há outra razão a ser dada por que [não] caíram desde que se levantaram pela manhã sim, desde que se sentaram aqui na casa de Deus, provocando seus olhos puros por sua maneira pecaminosa e iníqua de assistir à sua adoração santa sim, não há mais nada a ser dado como razão pela qual vocês não caiam no inferno neste exato momento".

Entre as frases aqui separadas por espaços mais longos, são traçadas linhas que se curvam da parte inferior da anterior para a parte superior da seguinte, indicando possíveis pausas retóricas na entrega e sugerindo ao leitor moderno uma sucessão de ondas e mais ondas de horror, cada uma mais impressionante do que a anterior.

A passagem anterior está contida no manuscrito sob a divisão I. da "Aplicação", divisão II. Início: "E considere aqui mais particularmente" (p. 117). As quatro divisões seguintes correspondem aproximadamente às da edição impressa, mas são meros títulos e diferem das seis divisões esboçadas pela primeira vez. Inserida no manuscrito, há uma folha solta contendo, na caligrafia de Edwards, um esboço cuidadoso de todo o sermão, do modo como ele poderia ter feito ao prepará-lo para sua impressão ou usado como anotações para a pregação. O manuscrito do sermão inteiro é curto, com vinte e duas páginas escritas e uma folha em branco.

UM GALHO FORTE QUEBRADO E SECO

(Página 126) **O Julgamento Terrível de Deus.** O manuscrito deste sermão é escrito "Por ocasião da morte do coronel Stoddard, junho de 1748". Consiste em cinquenta e duas páginas de tamanho usual para os sermões manuscritos de Edwards, mas com a característica incomum de ter sido escrito em colunas duplas. O papel usado foi em parte o das cartas endereçadas a Edwards, a escrita colocada em locais ao longo do endereço e as marcas de carimbo removidas. Em parte, cerca de vinte páginas, pedaços de papel fino e macio, com cortes profundos nas bordas superiores, que se acredita serem pedaços do papel usado pela sra. Edwards e suas filhas para fazerem leques. O sermão foi evidentemente escrito sob alta pressão, com poucas correções e de maneira bastante completa. A página de título da primeira edição tem a seguinte escrita: "Um Galho Forte Quebrado e Seco. Um Sermão Pregado em Northampton, no Dia do Senhor, em 26 de junho de 1748, Sobre a Morte do Honorável John Stoddard, Escudeiro. Membro frequente do Conselho de Sua Majestade, por Muitos Anos Juiz Supremo do Tribunal de Fundamentos Comuns do Condado de Hampshire, Juiz do Homologação de Testamentos e Coronel Chefe do Regimento, etc., que morreu em Boston em 19 de junho de 1748 em seu sexagésimo sétimo ano de idade. Por Jonathan Edwards A. M. Pastor da Primeira Igreja em Northampton: 'Todos os moradores da terra são por Ele reputados em nada; e, segundo a sua vontade, Ele opera com o exército do céu e os moradores da terra; não há quem Lhe possa deter a mão, nem Lhe dizer: Que fazes?' Boston. Impresso por Rogers e Fowle para J. Edwards em Cornhill 1748".

O coronel Stoddard era a oitava criança e o quarto filho do rev. Solomon Stoddard e, portanto, tio de Edwards por parte de mãe. Era um homem de grande destaque em todos os assuntos principais da cidade, do condado e da colônia. "Sua vida", diz Trumbull (*History of Northampton*, vol. II, p. 172), "foi o elo entre as duas séries de grandes líderes que controlaram os assuntos do oeste de Massachusetts por quase 175 anos. Seus antecessores foram John Pynchon, de Springfield, e Samuel Partridge, de Hatfield; seguindo-o, temos Joseph Hawley e Caleb Strong, de Northampton, e esses cinco homens eram os líderes da Colônia, da Província e do Estado". Ele era um firme defensor da realeza e da prerrogativa real, e por esse motivo tinha muitos oponentes, porém a estima geral em que era mantido é evidenciada por seus muitos cargos e pelo fato de ter sido reeleito por dezessete vezes o representante do condado no Tribunal Geral. Era um amigo valioso do governador Shirley, com o qual tem uma história peculiar. Certa vez pediu para ver o governador, quando este último jantava com a companhia, mas recusou o convite do criado para entrar. A companhia ficou surpresa e chocada com o que considerou um ato de descortesia para com o magistrado-chefe. "Qual é o nome do cavalheiro?", perguntou o governador. "Acho que", respondeu o servo, "ele me disse que se chamava Stoddard". "É mesmo?", disse o governador. "Com licença, senhores, se for o coronel Stoddard, devo ir até ele." (De *Dwight's Travels*, vol. I, p. 332, citado por Trumbull, op. cit. p. 173) Sua morte representou a perda de um dos mais fortes apoiadores de Edwards e provavelmente contribuiu para a trágica questão da grande controvérsia em que o pregador estava agora envolvido. Nesse sentido, é interessante descobrir que o coronel Stoddard, em 1736, ajudou a estabelecer o distrito de Stockbridge e tinha muito a fazer na região para estabelecer a missão aos índios, a cuja condução Edwards foi chamado após sua despedida de Northampton. O sermão de Edwards é um elogio, mas há todas as razões para se supor que ele passe, em geral, uma impressão justa do caráter, serviços e realizações de Stoddard. Sobre ele (*Trumbull*, op. cit., vol. II, cap. XIII).

(Página 145) **Guerra atual.** A Guerra Franco-Indígena do Rei Jorge (1744-1748-9). O coronel Stoddard, como comandante das forças de Hampshire, dirigiu as operações militares naquela parte do país até sua morte. O major Israel Williams, de Hatfield, que mais tarde obteve o comando, escrevendo em 25 de junho de 1748 para o secretário Willard, diz: "Agora somos como ovelhas sem pastor. Deus ficou satisfeito em tirá-lo – que era em grande parte nossa sabedoria, força e glória – de nós, em uma época em que o poupávamos menos" (Trumbull, op. cit., vol. II, p. 158).

SERMÃO DE DESPEDIDA

(Página147) **Um Sermão de Despedida.** "Um Sermão de Despedida Pregado na Primeira Zona de Northampton, Depois da Rejeição Pública Popular de seu Ministro e da Renúncia de sua Relação com Ele como Pastor da Igreja de Lá, em 22 de junho de 1750, ocorrida por Diferença de Opiniões, com Respeito às Qualificações Necessárias dos Membros da Igreja, em Permanência Completa. Por Jonathan Edwards, A. M.: 'Vós bem sabeis como foi que me conduzi entre vós em todo o tempo, desde o primeiro dia em que entrei na Ásia', (At. 20,18): 'Jamais deixando de Vos anunciar coisa alguma proveitosa e de vo-la ensinar publicamente e também de casa em casa', (At 20,20): 'Portanto, eu vos protesto, no dia de hoje, que estou limpo do sangue de todos; porque jamais deixei de vos anunciar todo o desígnio de Deus', (At 20,26-27): 'Que é feito, pois, da vossa exultação? Pois vos dou testemunho de que, se possível fora, teríeis arrancado os próprios olhos para mos dar. Tornei-me, porventura, vosso inimigo, por vos dizer a verdade?', (Gl 4,15-16). Boston, Impresso e vendido por S. Kneeland em frente à Prisão em Queen Street. 1751". Página de rosto da primeira edição.

O prefácio desse sermão é um documento tão importante para a sua compreensão, que se encontra aqui, como é habitual também em outras edições, impresso na íntegra.

Prefácio. Não é improvável que alguns dos leitores do sermão a seguir estejam curiosos quanto às circunstâncias das diferenças entre mim e o povo de Northampton, que levaram a essa separação e que ocasionaram a pregação desse sermão de despedida. Não há, de maneira alguma, espaço aqui para um relato completo desse assunto. No entanto, parece adequado e até necessário corrigir aqui algumas deturpações grosseiras que têm sido abundantes e – é de se temer – feitas por alguns de maneira prejudicial e diligente sobre essa diferença. Por exemplo, que eu insistia em afirmar que as pessoas estivessem em estado de salvação para que as admitisse na igreja; que eu exigia uma relação específica do método e da ordem da experiência íntima de uma pessoa, e do tempo e maneira de sua conversão, como prova de sua aptidão para a comunhão cristã; que me comprometi em estabelecer uma igreja pura e fazer uma distinção exata e certa entre santos e hipócritas, por meio de um pretenso discernimento infalível [do] estado da alma dos homens; que havia aceitado as ideias daquelas pessoas selvagens que recentemente apareceram na Nova Inglaterra chamadas de separatistas; que eu próprio havia me tornado um grande separatista e que reivindicava totalmente para mim o poder de julgar as qualificações dos candidatos à comunhão, e insistia em agir por minha única autoridade, na admissão de membros na igreja, etc.

Em oposição a essas representações difamatórias, apenas darei agora ao meu leitor um relato de algumas coisas que apresentei perante o conselho, que provocaram a separação entre mim e o meu povo, a fim de que tenham uma visão justa e completa dos meus princípios relacionados ao caso em disputa.

Muito antes da sessão do conselho, meu povo havia falado com o reverendo sr. Clark da vila de Salém, desejando que escrevesse em oposição aos meus princípios, o que me deu a oportunidade de escrever ao sr. Clark para que ele pudesse ter informações verdadeiras sobre quais eram meus princípios. No momento da sessão do conselho, fiz, para que eles soubessem, uma declaração pública dos meus princípios diante deles e da igreja, no local de culto, com o mesmo significado da minha carta para o sr. Clark, e praticamente como as mesmas palavras: então, mais tarde, foi enviado ao conselho, por escrito, um trecho dessa carta, contendo as informações que havia dado ao sr. Clark, nas mesmas palavras da carta que enviei a ele, a qual o conselho poderia ler e considerar à vontade, tendo um conhecimento mais certo e satisfatório de quais eram os meus princípios. O trecho que enviei a eles tinha as seguintes palavras:

"Não tenho certeza, mas, de modo geral, sou colocado como alguém que possui uma opinião nova e estranha em relação aos termos da comunhão cristã, e como tendo introduzido uma maneira peculiar minha, embora não perceba minha diferença quanto ao esquema do dr. Watts em seu livro intitulado *The Rational Foundation of a Christian Church*, *and the Terms of Christian Communion* que, diz ele, é a opinião comum de todas as igrejas reformadas. Não conhecia tal livro do dr. Watts quando publiquei o que escrevi sobre o assunto. No entanto, acho que minhas opiniões, conforme as expressei, estão exatamente de acordo com que ele estabelece, como se fosse seu aluno. Tampouco vou além do que o dr. Doddridge mostra claramente como suas opiniões, em *Rise and Progress of Religion, Sermons on Regeneration* e *Paraphrase and Notes on the New Testament*. De fato, senhor, quando considero as opiniões que expressou em suas cartas ao major Pomroy e ao sr. Billing, sou capaz de perceber que são exatamente a mesma coisa que afirmo. O senhor supõe que os sacramentos não se transformam em ordenanças, mas que, 'como selos da aliança, pressupõem conversão, especialmente no adulto; e que é uma santidade visível, ou, em outras palavras, uma profissão crível de fé e arrependimento, um consentimento solene pela aliança do evangelho, acompanhado de um bom diálogo e de um grau competente de conhecimento cristão, que dá direito evangélico a todas as ordenanças sagradas. Porém, é necessário que aqueles que se aproximam dessas ordenanças e aqueles que professam um consentimento pela aliança do evangelho sejam sinceros em sua profissão', ou que pelo menos pensem desse modo. O grande ponto no qual hesitei com relação ao método estabelecido na condução desta igreja, e sobre o qual não ouso prosseguir, é o seu consentimento público da forma das palavras usadas na ocasião de sua admissão à comunhão, sem fingir consentimento sincero dos termos da aliança do evangelho, ou de qualquer fé ou arrependimento que pertença à aliança da graça, e que são as grandes condições de tal aliança. Sendo assim, ao mesmo tempo em que as palavras são usadas, e o princípio conhecido e estabelecido é professado abertamente e seguido por eles, os homens podem e devem usar essas palavras não tendo esse significado, mas sim algo de natureza muito inferior. Sobre isso, acho que eles não têm uma noção distinta e determinada, mas, em vez disso, algo consistente com o fato de saberem que não escolhem Deus como seu bem principal, amando o mundo mais do que a Ele, não se entregando inteiramente a Deus, com reservas. Em suma, sabem que não consentem sinceramente com a aliança do evangelho, ainda vivendo pelo amor ao mundo e da inimizade com Deus e Cristo. De modo que as palavras de sua profissão pública, de acordo com o uso abertamente estabelecido, deixam de ser da natureza de qualquer profissão de fé e de arrependimento, ou de qualquer cumprimento adequado da aliança, pois as palavras de sua profissão, quando usadas, não significam tal coisa. As palavras usadas nessas circunstâncias, no mínimo, falham em ser uma profissão *crível* de tais coisas. Não consigo conceber tal virtude em um certo conjunto de palavras, referindo-se meramente à questão da realização de tais sons, admitindo pessoas aos sacramentos cristãos sem levar em consideração qualquer significado falso desses sons. Nem posso pensar que qualquer instituição de Cristo tenha estabelecido tais termos de admissão à igreja cristã. Não pertence à controvérsia entre mim e meu povo o quão particular ou grande deve ser a necessária profissão. Não devo optar por me restringir a limites exatos quanto a esse assunto; mas, em vez de lutar, devo me contentar com algumas palavras, expressando brevemente as virtudes ou atos cardinais implícitos no cumprimento vigoroso da aliança, feita – como deve aparecer pela investigação do conhecimento doutrinário da pessoa compreensivelmente, caso houvesse uma conduta externa de acordo com isso. Sim, acho que essa pessoa, fazendo tal profissão solenemente, tem o direito de ser recebida como objeto de uma instituição de caridade pública, por mais que ela própria pudesse examinar sua própria conversão, caso não se lembre do momento, não conheça o método de sua conversão ou se encontre em tanto pecado remanescente, etc. Além disso – se seus próprios escrúpulos não impedissem sua vinda à ceia do Senhor – eu pensaria que o ministro ou igreja não teriam o direito de censurar dessa maneira alguém que professa, embora devesse dizer que não se considerava convertido; pois chamo isso de profissão de piedade, que é uma profissão das grandes coisas em que a piedade consiste, e não uma profissão da própria opinião sobre seu bom estado."

Northampton, 7 de maio de 1750.
Esta é a minha carta ao sr. Clark até o momento.

O conselho, depois de ouvir que eu havia feito alguns esboços da aliança, ou formas de profissão pública de religião, as quais estava pronto para aceitar dos candidatos à comunhão da igreja, enviou-os por sua conta. Por conseguinte, enviei a eles quatro esboços ou documentos distintos, os quais havia redigido cerca de doze meses antes, como aquilo que eu estava pronto para aceitar – qualquer um deles – em vez de brigar e romper com o meu povo.

Os dois documentos mais curtos encontram-se aqui inseridos para a satisfação do leitor. São os seguintes.

"Espero realmente encontrar um coração para me entregar totalmente a Deus, de acordo com o teor daquela aliança de graça que foi selada no meu batismo, e andar de acordo com essa obediência a todos os mandamentos de Deus, que a aliança da graça exige, enquanto viver."

Outra:

"Espero realmente encontrar em meu coração a disposição para cumprir todos os mandamentos de Deus, que exigem que me entregue totalmente a Ele, a servi-Lo com meu corpo e espírito e, nesse sentido, prometer agora seguir um caminho de obediência a todos os mandamentos de Deus, enquanto viver."

Tais tipos de profissões como essas eu estive pronto para aceitar, em vez de lutar e romper com meu povo. Não que eu ache muito mais conveniente que a profissão pública de religião feita pelos cristãos seja muito mais completa e específica; e que – como sugeri em minha carta ao sr. Clark – eu não deveria escolher estar vinculado a qualquer forma de palavras, mas ter liberdade de variar as expressões de uma profissão pública da maneira mais exata para se adequar aos sentimentos e às experiências daquele que as professa, para que possa ser uma expressão mais justa e livre do que cada um encontra em seu coração.

Além disso, deve-se notar que sempre insisti nisso, que me competia como pastor, antes de uma profissão ser aceita, ter total liberdade para instruir o candidato ao significado dos termos e à natureza das coisas propostas para serem professadas; investigar sua compreensão doutrinária sobre esses temas, de acordo com meu melhor critério e advertir a pessoa, caso julgue necessário, contra a imprudência em fazer tal profissão, ou em fazê-lo principalmente pelo crédito de si ou de sua família, ou de qualquer ponto de vista secular, e colocá-lo em séria introspecção, procurando seu próprio coração, orando a Deus para buscá-lo e esclarecê-lo, para que não seja hipócrita e enganado na profissão que faz; além de apontar para ele as muitas maneiras pelas quais aqueles que professam podem ser enganados.

Também não acho impróprio para um ministro, nesse caso, indagar e saber do candidato o que pode ser lembrado das circunstâncias de sua experiência cristã, pois isso pode muito ilustrar sua profissão e dar ao ministro uma grande vantagem para obter instruções apropriadas; embora um conhecimento e uma lembrança específicos do momento e do método da primeira conversão a Deus não devam ser usados como testes da sinceridade de uma pessoa, nem insistidos conforme necessário para que seja recebida em plena caridade. Não que eu ache impróprio ou inútil que, em alguns casos especiais, uma declaração das circunstâncias particulares do primeiro despertar de uma pessoa e a maneira de suas convicções, iluminações e bem-estar sejam exibidas publicamente diante de toda a congregação, na ocasião de sua admissão na igreja; embora isso não seja exigido como necessário para a admissão. Já declarei ser contra insistir em uma relação de experiência, nesse sentido – a saber, uma relação do momento particular e das etapas da operação do Espírito na primeira conversão –, como o termo da comunhão. Contudo, se por uma relação de experiências, ele quis dizer uma declaração de experiência das grandes coisas *forjadas*, em que a verdadeira graça e os atos e hábitos essenciais da santidade consistem, nesse sentido, penso que é necessário um relato das experiências de uma pessoa para sua admissão em plena comunhão na igreja. Mas, em qualquer investigação feita e em qualquer relato apresentado, nem ministro nem igreja devem estabelecer-se como buscadores de corações, mas devem aceitar a profissão séria e solene do que professa, bem instruído, de uma vida correta, como mais bem capaz de determinar o que encontra em seu próprio coração.

Essas coisas podem servir, em certa medida, para corrigir aqueles de meus leitores que foram enganados em suas apreensões sobre o estado da controvérsia entre mim e meu povo, pelas declarações falsas mencionadas.

Jonathan Edwards.

(Página 163) **Mas com toda certeza isso nunca mais acontecerá.** Às vezes, fala-se que Edwards nunca mais ocupou o púlpito em Northampton. Não é verdade. Ele pregou, de fato, doze domingos, embora certamente de forma não consecutiva e somente quando a presença de pastores substitutos não pôde ser garantida, antes de sua retirada para Stockbridge. Talvez haja mais razões para a afirmação do dr. Hopkins, citada por Dwight (op. cit. p. 418), que a cidade finalmente, acredita-se que em novembro de 1750, votou que ele não deveria mais pregar. Mas os registros da cidade e da região permaneceram em silêncio sobre esse assunto, e o único voto aprovado pela região em novembro foi "para pagar ao sr. Edwards a quantia de dez libras por Sabá, pelo tempo em que pregou aqui desde que foi destituído". Trumbull, que estabeleceu esse fato (*History of Northampton*, vol. II, p. 227), diz que o último sermão de Edwards em Northampton foi na tarde de 13 de outubro de 1751, a partir do texto de (Hb11,16). Mas mesmo isso é duvidoso; entre os manuscritos de New Haven, o professor Dexter descobriu um sermão sobre: (2 Co 4,6) marcado como pregado em Northampton, em maio de 1755, e em um livro de planos de sermões pelo menos três anotações de textos e doutrinas do mesmo período marcadas como pensadas para Northampton (F. B. Dexter, *The Manuscripts of Jonathan Edwards*, p. 8).

(Página 173) **Pelo qual me tornei tão desagradável.** O entusiasmo do Grande Despertamento foi seguido por um período de relaxamento. Em 1744, Edwards foi informado de que vários jovens de sua congregação, de ambos os sexos, estavam lendo livros imorais, que incentivavam conversas lascivas e obscenas. Para controlar o mal, pregou um sermão, cuja franqueza podemos julgar no publicado sobre a "Tentação de José", de: (Hb 12,15-16). Depois do culto, comunicou aos irmãos da igreja as evidências em seu poder, visando a outras ações. Uma comissão de inquérito foi nomeada para ajudar o pastor a examinar o caso em uma reunião em sua casa. Edwards leu então os nomes dos jovens a serem convocados como testemunhas ou acusados, mas sem distinção entre os dois grupos. Quando os nomes foram publicados, verificou-se que a maioria das principais famílias da cidade estava envolvida. "De repente, a cidade estava em chamas." Muitos dos chefes de família se recusaram a prosseguir com a investigação. Boa parte dos jovens convocados para a reunião se recusou a comparecer, e os que vieram agiram com insolência. Edwards nunca mais conseguiu restabelecer sua autoridade. Durante anos, nenhum candidato apareceu para ser admitido na igreja. Veja Hopkins, *Life of Edwards* (1765), p. 53ss. Dwight, op. cit. p. 299s., copia o relato de Hopkins quase literalmente, mas sem reconhecimento.

(Página 174) **De tempos em tempos... nos encontraremos diante Dele.** A companhia que mantinham e as diversões mundanas dos jovens eram uma antiga queixa de Edwards. Ao escrever sobre o período anterior ao avivamento de 1734-1735, ele diz: "Era comum se reunirem em convenções de ambos os sexos, para festividades e alegria, que chamavam de brincadeiras; e costumavam passar a maior parte da noite nelas, sem nenhuma consideração pela ordem na família a que pertencem". Como os jovens se divertiam nessas 'convenções', só podemos conjecturar; é certo que alguns dos pais, pelo menos, não viram mal nelas. Mas a ideia de Edwards sobre o controle da família era muito diferente. "Ele não permitia que seus filhos saíssem de casa depois das nove horas da noite, quando fosse para ver seus amigos e companheiros. Também não lhes era permitido sentar-se muito depois dessa hora, em sua própria casa, quando alguém vinha visitá-los. Se algum cavalheiro desejasse conhecer suas filhas, depois de se apresentar elegantemente, consultando adequadamente os pais, ele teria todas as oportunidades apropriadas para tal: sala e lareira, se necessário; mas não deveria se intrometer nas horas apropriadas de descanso e sono, na religião e ordem da família" (Hopkins, op. cit. p. 44). Temos razões para pensar que algumas das "outras liberdades comumente tomadas pelos jovens da região" foram avaliadas por favorecer qualquer coisa que não fosse refinamento e espiritualidade.

(Página 177) Um espírito controverso. A história, de uma forma geral, corrobora o seguinte testemunho de Edwards sobre o espírito controverso do povo de Northampton: "Houve algumas disputas e controvérsias profundas entre eles na época do sr. Stoddard, às quais foram conduzidas com grande calor e violência; alguns conflitos significativos na igreja, onde o sr. Stoddard, sendo uma importante autoridade, não soube o que fazer. Em uma controvérsia eclesiástica na época do sr. Stoddard, em que a igreja foi dividida em duas partes, os ânimos foram se esquentando a tal ponto que se chegou às vias de fato. Um membro de um partido encontrou o chefe do partido oposto, agredindo-o e espancando-o sem dó. Há quarenta ou cinquenta anos, existe uma espécie de divisão estabelecida do povo em dois partidos, um pouco parecida com a divisão dos partidos Court e Country na Inglaterra – se é que posso comparar coisas de dimensões diferentes.

Alguns dos principais homens da cidade, de autoridade e riqueza, foram grandes proprietários de terras e se aliaram a um dos partidos. E a outra parte, que geralmente tem sido a maior, é daqueles que têm inveja daqueles, cobiçando-os e com medo de que tenham muito poder e influência na cidade e na igreja. Esse tem sido o motivo de inúmeras contendas entre as pessoas, de tempos em tempos, fato que tem sido extremamente doloroso para mim, pelo que sem dúvida Deus foi terrivelmente provocado, Seu Espírito foi entristecido e apagado, com muita confusão e obras más sendo implantadas." Carta de 1 de julho de 1751 ao rev. Thomas Gillespie. Cf. Trumbull, *History of Northampton*, vol. II, p. 36.